朝日新書
Asahi Shinsho 866

歴史の予兆を読む

池上　彰
保阪正康

朝日新聞出版

はじめに——歴史の分岐点に立って

私たちは、いまどこにいるのか。どこに向かおうとしているのか。それを知るには、どうしたらいいか。そのためには過去を知り、現代と照合すること。それによって、「歴史の予兆」を摑むことができるのではないか。そう考えると、昭和の歴史を詳細に調べ、戦争に関与した多くの関係者から聞き取り調査をしてきた保阪正康さんに話を聞くのが一番だ。こう考えて、コロナ禍で対面が叶わぬままリモートでの対談を重ねてきました。

話題は大正デモクラシーから格差問題、地球環境保護の課題……と、じつに幅広いテーマに及びました。含蓄のある保阪さんの発言を聞くのは至福の時間でした。

ところが、その最中にロシアによるウクライナ侵攻が起きてしまいました。急遽、予定を変更して、ウクライナ侵攻をテーマに付け加えました。ロシア軍の無謀で粗暴でむき出しの暴力の行使には、言葉もありません。これは、まるで20世紀前半の時代のような戦争です。それに対し、ウクライナ軍の戦いは、まさに21世紀のものです。米英からのリアルタイムの情報提供を受けてロシア軍の行動を摑む一方で、イーロン・マスク氏から送られたスターリンクの衛星システムを駆使して国内の情報通信を維持する様子を見ると、今後もし再び戦争が起きるとするならば、ウクライナ軍のような戦いになるのでしょう。20世紀から21世紀へ。いま歴史が動いています。

それにしても、私たちは、ロシアのプーチン大統領の言動から、「戦争の予兆」を把握することができたのでしょうか。そう考えると、「歴史の予兆」を知ることの困難さを痛感します。渦中にいる時は「予兆」が摑めないのです。

でも、過去の失敗を繰り返さないようにするためには、少しでも早く予兆を知らなくてはなりません。そのためのコツでも摑めないか。保阪さんと対話を続ける中で考えてきたことです。ここから先は、本書を手に取ったあなたにお任せするしかありません。私たちの対話が、少しでもお役に立つものになっていることを願いつつ。

2022年5月

ジャーナリスト　池上　彰

歴史の予兆を読む　目次

第1章 日本の常識、非常識 65

第2章　時代転換の「芽」　93

第3章　格差という「原動力」　131

第4章　地球が悲鳴を上げている！

第5章　リーダーの器　209

第6章　自分の手で社会を変えられるか？　263

写真／朝日新聞社提供

序章　ウクライナの運命

プーチン大統領

ゼレンスキー大統領

「第三次世界大戦が起こるのではないか」。世界中が固唾を飲んで見守るロシアによるウクライナ侵攻。惨劇が始まった2022年2月24日は歴史の中にどんな転換点として刻まれるのか。
私たちは結局、21世紀も戦争を止めることができないのだろうか——。

まさか21世紀に……

保阪 ロシアによるウクライナ侵攻は、まさに20世紀型の典型的な帝国主義的侵略戦争です。21世紀にこんなお粗末な「軍事作戦」が公然と行われるとは思いませんでした。ウラジーミル・プーチンはこの21世紀に初めて国際的侵略戦争を始めた指導者として歴史に名を残すことになりました。プーチンはロシアの国際的な評価をこれから何年にもわたって低下せしめた指導者として罵倒され続け、記憶され、少なくとも21世紀の間、ヒトラーやスターリンと同様に悪の象徴として語られる。そしてどういう結末を迎えようと、この惨劇に対するウクライナの人々の憎しみと怒りは何世紀にもわたって持続するでしょう。

池上 まさか21世紀になって、こんな光景を見ることになるとは……。多くの人が報道を通じてウクライナの惨状を見聞きし、戸惑いや恐怖、悲しみ、憤りを感じているでしょう。

私も驚きとともに無力感に駆られていて、罪悪感すら持っています。後悔するのは、事ここに至るまでのロシアの数々の暴挙に、もっと前から国際社会が毅然たる態度を取るべきだったということなんですね。

ウクライナ軍とロシア軍の激闘があったキーウ（キエフ）近郊ブチャの通り。焼け跡に残る破壊された装甲車両＝2022年4月8日

２０１４年のクリミア併合はもとより、この10年ほど、イギリスに亡命したロシア人が不審死を遂げたり、襲撃を受けたりという事件が相次いでいました。放射性物質ポロニウム２１０や旧ソ連時代の神経剤ノビチョクが使われたことなどから、背後にプーチン大統領の影がありました。そういう傍若無人の残酷さに対して、国際社会は厳しく追及してこなかった。それでプーチンは「どうせ何もできないだろう」と現行の国際秩序というものを、より一層軽視するようになったのではないでしょうか。その意味では、ウクライナ侵攻は未然に防げたはずです。

保阪　無力感ということで言えば、私は「人類の遺伝子に戦争の持つ残虐さは刷り込まれていない」ということを今回、再確認しました。これは近現代史を中心に戦争について調べてきて得た大きな理解の一つです。19世紀まで戦争は悪ではなく、不可避的に起こり得る政治的暴力であって、20世紀の戦争裁判によって初めて悪とされた。その一事をもって説明できると思いますが、一方で、それゆえに記録や記憶、知恵の継承の持続が重大だという確信が生まれたわけですね。

人類は生存のために本能的に戦いを選ぶ生き物だからこそ、その選択を自らの理性の働きで食い止めるしかない。それで経験則に基づいて、その残酷さを語り継ぎ、戦争抑止力にしようとしてきたわけです。でも今回、その抑止力などは実にあっさりと崩れてしまうことが、またもや実証されました。戦争体験は同じレベルでずっとつながっていくことはありません。常にある世代で切れ、ある世代で作られるという繰り返しです。だから非常に難しいけれども、私たちはそれに懲りることなく、歴史の記憶や知恵を継承していく理性的営みを繰り返すしかないのでしょう。

プーチンのスパイ的性格と深刻なトラウマ

保阪　プーチンの基本的な性格が、その暴挙の大きな要因であることは間違いないですよね。注目すべき特徴は三つあると思います。端的に言うと、一つはKGB（ソ連国家保安委員会）出身者が持っている国家主義者としての歪んだ自意識。二つ目は東西冷戦時のソビエト連邦の威信と国力へのノスタルジー。三つ目は近現代社会の民主主義に対する抜きがたい不信感です。私は1990年代初め、ソ連崩壊の折に何度かモスクワを訪れていて、50代からの元KGB工作員、つまりプーチンの先輩たちに会って、いろんな話を聞いた体験があります。この三つの性格は、じつは彼らに共通するものなんですね。

彼らスパイは日々の活動が薄氷を踏むようなものなので、ことさら国家への強い帰属意識を持つようになります。そして国家の安全と発展は自分たちの働きによって守られているという自負、信念を抱くようになる。ソ連という国家は共産党独裁ですから、当然、反民主主義になるわけです。しかも恐ろしいのは、現役を退いた後もその価値観が消えないどころか、むしろ誇大妄想的になっていました。プーチンもそんな危うい心理状態なのかもしれませんね。

池上　プーチン大統領の有名なセリフがあります。元CIA（中央情報局）職員でNSA（アメリカ国家安全保障局）でも働いていたエドワード・スノーデンが、アメリカが世界のいろんな情報を得ていて民主主義に反していると告発しました。当初は南米に亡命するつもりでしたが、13年にロシアが受け入れました。その時にプーチンが「元スパイというものは存在しない」と言ったんですね。

つまり、いったんスパイになったら死ぬまでスパイだと。プーチンはKGB出身です。それで元スパイはいないと断言したのですから、「自分は死ぬまでスパイだ」と告白したも同然でしょう。

要するに、今のロシアはスパイが国のトップに立っている。プーチンはスパイとして君臨しているわけです。当然のように、プーチン政権にはKGB人脈に連なる要人が数多くいます。政界だけでなく経済界にも元KGBは深く根を下ろしていると言われていますね。

また、プーチンには、個人的にいくつか深刻なトラウマがあります。一つは故郷レニングラードの悲惨。今のサンクトペテルブルクですね。彼は1952年生まれなのでその10年ほど前のことです。第二次大戦の独ソ戦で、ドイツ軍はレニングラードを900日間も包囲しました。水、食料、医療品が入らない状態になり、大勢の人が餓死した。100万人以上が亡くなったとも言われ、プーチンのお兄さんは腸チフスになって薬もないまま亡くなっています。お母さんも餓死寸前に陥ったそうです。

独ソ戦が終わって、栄養状態が良くなってからプーチンは生まれたけれども、子どもの頃から他国の侵略を受けるとどういう目にあうのか、ずうっと聞かされ続けて育ったでしょう。これはトラウマになりますよね。

もう一つはソ連の消滅です。KGBのスパイだったプーチンは東ドイツのドレスデン支部に配属中の89年から90年に、まずベルリンの壁崩壊、そしてあっという間に東ドイツ自体が消えてなくなるという「悲劇」を体験したわけです。

当時、ドレスデンには旧東ドイツの秘密警察シュタージ（国家保安省）の支部があって、KGBドレスデン支部はその隣にあったんですね。ベルリンの壁崩壊の後、東ドイツの国民はシュタージに「スパイした我々の個人情報を出せ」と殺到しました。プーチンは詰め寄る人々を押し止めたと言われています。その時に「国家は簡単に崩壊する」といった危機意識を持ったと思います。

そして91年、ついにソ連がなくなってしまった。KGBのプーチンにしてみたら、ソ連という国家を守ろうとしていた自分の努力が水泡に帰してしまったわけです。以来、ずっと断腸の思いがあるけれども、ソ連に戻ることはできないんですね。もう一つプーチンの有名な言葉があります。「ソ連が恋しくない者には心がない。ソ連に戻りたい者には脳がない」。つまり、今さらソ連じゃない、それは違うと。でも、あの巨大な帝国がなくなってしまったことを嘆き、懐かしむ心をロシアの人々は持つべきだと。こういう思いをずっと抱えてきたわけで、これはやはりトラウマでしょう。

ロシア帝国の姿に戻したい

池上　プーチンはこの2年間、コロナ禍で人と会わない孤独な時間を過ごしてきました。たとえば、フランスのマクロン大統領との会談では大きなテーブルの端と端で何メートルも離れて話していたじゃないですか。あるいは国防大臣などに会う時にも10メートルくらい離れたところに座らせている。あれ、コロナ感染が怖いんですよ。ロシアのワクチン「スプートニクV」はファイザーやモデルナのようには効きませんからね。それにプーチンは健康問題も言われていて、基礎疾患があるだろうと見られています。つまり、コロナに感染すると致命的だという恐怖心があって、極端に人と会うことを避けていたわけです。

一人でずっと何をしていたか。ひたすらロシア帝国時代の歴史の本を読みふけっていたと言われています。たとえば、ピョートル大帝がどうやって帝国を築いていったか、女帝エカテリーナがどうやってロシア帝国の領土を広げていったか。そういう歴史書を読むことで、ウクライナなんて国家じゃない、そもそもロシアの一部で、レーニンがロシア革命をする時に勝手な都合でウクライナという国をでっち上げただけだと思い込んでしまうのです。

そもそもロシアの人たちには、どちらかというとウクライナを下に見るようなところがあります。よく兄弟国と言いますが、あくまでもロシアが兄でウクライナが弟だという意識なんですね。プーチンはそういう思いをコロナ禍での読書でより強固にした。そして今のロシアをソ連ではなく、ロシア帝国という大国の姿に戻したいという思いも募ってきたのでしょう。

というのも、今のウクライナの首都キーウ（キエフ）を中心地とするキエフ大公国（9世紀後半〜13世紀半ば）というのがウクライナ、ベラルーシ、ロシアのルーツですから。そこに13世紀にモンゴルが攻めて来て、領民が東のモスクワに移動してモスクワ公国を作り、それがロシア帝国になっていった。つまり、ロシアが本流だという思いがプーチンにはあるんですね。

また、18世紀には完全にロシア帝国の支配下にウクライナがあったわけです。でも1917年のロシア革命によってウクライナの民族主義者、ウクライナを国家として独立させたいという勢力が絶好のチャンスだと考えて、ロシア帝国に抵抗してウクライナという国を作ろうとします。その時にレーニンが、ロシア帝国を倒そうとする我々とウクライナの独立を目指す民族主義者は反ロシア帝国という点においては味方、つまり敵の敵は味方だと考えた。それでその言い分を認めてウクライナという国家の独立を後押しするわけです。

そのあと1922年にソビエト連邦ができます。その時にレーニンは再びウクライナをソ連の中に取り込むんですね。ただ、ソ連は建前としては15の共和国が対等な立場で連邦を作りました。だからあくまでフィクションですが、ソビエトを構成する一つの共和国として、ウクライナ・ソビエト社会主義共和国になり、「国境線」もロシアとウクライナの間に引かれました。そしてソ連崩壊後、その国境線でウクライナが正式に独立したわけです。

プーチンはこの2年間、あまり人とも会わず、非常に偏った歴史書を読みふけったことで、今の国境線はレーニンが勝手に引いたものなんだ、そもそもウクライナはロシアの一部なんだ、という視野の狭い、凝り固まった意識を持つようになった。そのせいで、ウクライナがNATOに入ると言い出したことに対して、NATOがロシアに攻めて来るという被害者意識を持ってしまったのだと思います。

ウクライナの「ネオナチ」とは

保阪　プーチンは特にウクライナのアゾフ連隊を「ネオナチ」と言っているようですが、ウクライナの近現代史の中にナチスが登場するのは1941年に始まった独ソ戦からです。ドイツ軍が独ソ不可侵条約を無視してウクライナに侵攻した。その時、ウクライナ側にスターリンよりもヒトラーの支配のほうがいいと、ドイツに協力する民族主義者の勢力ができます。それが一部ナチス化してユダヤ人虐殺などにも加担した。ただ、民族主義者の目的はあくまでウクライナの独立ですから、ドイツと戦った勢力もあったし、独ソ戦が終わってもソ連に対して武力闘争を続けたんですね。

1922年にソ連ができるにあたって、ウクライナの社会主義勢力はソ連との一体化を認めたわけです。しかし、現実に傘下に入ってみるとロシアにいいように利用された。たとえば、ウクライナは豊かな穀倉地帯ですが、モスクワへの供給や輸出が最優先されて、1930年代前半には数百万人の餓死者を出す大飢饉が起こっています。だから「スターリン飢饉」とも呼ばれているんですね。

要するに、ソ連時代も今も「ウクライナは自立しなきゃいかん」という根強い国民感情、そしてソ連時代に戻ることへの強い恐怖感があっておかしくない。つまり、池上さんがおっしゃったようなプーチンのウクライナ観は到底受け入れられないわけです。

それでもプーチンは、ソ連という社会主義体制の崩壊後、かつてソ連の一員だった各国が独立して「自国主義」に入っている中で、ソ連の帝国主義的な夢、幻想を追いかけているのでしょう。ウクライナは我が領土、同種の民族として切っても切れない関係なんだと思い込み、軍を侵攻させ、「俺たちの側に立て」と言っています。結局、「非ナチ化」を大義名分の一つにしていますが、ウクライナに根強くあるソ連に対する反感をネオナチと称して弾圧しているだけなんだと思います。

もう一つ、ロシア人のウクライナ観で言えば、スターリンの次の指導者フルシチョフ第一書記の存在が大きいのではないでしょうか。フルシチョフはウクライナ近くのロシアの農村で生まれ、ウクライナでも長く暮らした。共産党の幹部としてウクライナとモスクワを行ったり来たりして、ウクライナに共産主義思想を徹底的に叩き込み、コルホーズ（集団農場）、ソフホーズ（国営農場）なども整備しました。

フルシチョフは当然、ウクライナは自分と同じ民族で同じ歴史の流れを汲み、一体化していると見ていたし、ウクライナがロシアから離れるなんて想像もしていない。じつは、これはソ連の共産主義思想の典型的な考え方なんですね。プーチンの歴史観もそれを継いでいると思います。

こうしたものがプーチンの基本的な歴史観だと思います。今のプーチンは、俺たちにあいつらが逆らうわけがない、逆らったらネオナチなんだという極めて単純な図式を作っているだけなんですね。

プーチンの野望

池上　地政学的によく言われる「ロシアはアジアなのかヨーロッパなのか」という問いがあります。プーチンの答えは「いや、ユーラシアだ」なんですね。プーチンは、ロシアを中心に「ユーラシア連合」という緩やかなネットワークの帝国、アジアでもヨーロッパでもない政治・経済・安全保障体制を築くという長期戦略を持っていると思います。
プーチンの行動を見ていると、ユーラシア連合はロシアのほか、コーカサス地方のアゼルバイジャン、アルメニア、ジョージア、中央アジアのカザフスタン、キルギス、タジキスタン、トルクメニスタン、ウズベキスタン、そして中国です。そこにはベラルーシはもちろん、モルドバ、そしてウクライナも含まれます。そういう地域連合を作り、生き延びていく。あるいは世界で存在感を示す。これがプーチンの野望でしょうね。

保阪 なるほど、ユーラシア連合ですか。私はそれを「大ソ連帝国」と呼んでいます。レーニンは革命なった後の１９１８年、ロシア・ソビエト連邦社会主義共和国を樹立します。そして革命の名の下に周辺の14の国及び民族を自分のソ連邦の中に組み込んでいきました。ウクライナもその一つです。つまり、ソ連は主にモスクワのロシア人勢力を中心とする社会主義勢力であって、国際連盟に一応入るし選挙権も持っているけれども、現実の主権はあくまでもロシア側にあるわけです。要は、ソ連の構成国になった時点でロシアと一体化したんですね。これを１９２２年に完成させたのがスターリンです。

スターリン以来、ソ連の勢力は社会主義体制の名の下に東ヨーロッパのみならず、世界中に膨張していきます。プーチンはそんな中で生まれ育ち、超エリートであるスパイになった。だから膨張する大ソ連帝国を取り戻したいのでしょう。

プーチンのやり方はレーニンやスターリンと似ている部分はありますが、社会主義・共産主義という大義名分はないし、残酷さにおいても彼らには及びません。

レーニンは残酷でした。革命後にすごい粛清を行い反革命の人々を殺した。ある時、レーニンは国際的な会合に出席します。ヨーロッパ諸国は「片っ端から殺害しておいて革命だなんておかしい」と、死亡者リストまで突き付けて批判した。レーニンは「誰でも殺しているわけじゃない」と意に介さず、「こいつは生きている、こいつも」とリストの名前に次々にバツ印を付けた。そうしたらソ連の弾圧機構「チェーカー（KGBの前身）」がバツのついた人々を次の日にみんな殺してしまったんですね。チェーカーの創設者はポーランド貴族出身のジェルジンスキーです。

ヨシフ・スターリン（右）とアドルフ・ヒトラー。「独ソ開戦と世界の動向」を伝える「アサヒグラフ」1941年7月9日号表紙

さて、レーニンが脳溢血で倒れて起きられなくなり、「後任者を誰にしよう」という話になった。その時レーニンは「スターリンだけはやめろ、あいつは野蛮だ」と言ったそうです。実際、レーニンが驚くほどスターリンは残酷でした。

スターリンは革命憲法に基づいて反革命の組織、考え方、言説を成した人をとにかくみんな殺していきます。その残酷さに側近たちも恐れをなして、スターリンの意向を汲んで完全に殺人マシーンになっていった。KGBが密告などをもとに普通の人々を夜中に家から連れ出して銃殺したりシベリアに送ったり、次々と粛清したわけです。その数2000万人と言われています。ヒトラーが虐殺したユダヤ人は600万ほどとされていますから3倍も多いんですね。

変な言い方になりますが、プーチンは「スターリンに比べれば、俺なんか全くもって甘い指導者だ」と思っているのかもしれません。

支持率の真相

池上　ウクライナ侵攻以降、ロシアの世論調査ではプーチンの支持率はうなぎのぼりという感じでした。ただし、4月14日に発表されたロシア政府系の「世論基金」の世論調査（調査期間は4月8〜10日）では、プーチン大統領の活動を「評価する」と答えたのは77%だった。同機関によるその1週間前の調査では82%で、5ポイント低下したんですね。欧米などの経済制裁によるインフレをはじめとする経済状況の悪化が影響したのでしょう。

4月初め、ロシアの民間の世論調査機関「レバダセンター」による世論調査（3月24〜

30日）の「支持率83％」という数字を見た時には、政府系ではなく中立的なところが行った調査なのでさすがにぎょっとしました。

ただ、この調査は対面方式なんですね。面と向かって「支持しますか」と聞かれたら、怖くて支持しないとはなかなか言えないし、結構、回答拒否が多かったと言われています。つまり、あくまでも回答した人の中で83％ということであって、世論基金の77％も、そもそも答えずに逃げた人が結構いると思います。それでも、レバダセンターの対面調査では「支持しない」と答えた人が15％いました。ロシアには、プーチンを恐れずに公然とノーを突き付ける人がまだ結構いるわけです。ある意味、こっちの数字のほうが驚きですよね。

保阪　取り締まりが厳しくなる前は、割と大きな反戦デモがあったように、ロシアの人たちもだいぶ「市民化」していると思います、特に若者たちは。それをプーチンは理解していないというか、全く許せないんですね。

ただ一方で、ソ連時代に生まれ育った古い世代が特にそうですが、ロシア人の変わらない基本的な性格というものがあるでしょう。90年代初めにソ連を訪ねた際、一緒に行ったソ連政治史研究の専門家が「社会主義でロシア人を見ていたら決して理解できない」と教えてくれました。「ロシア人は社会主義の仮面を被っているから」と。

彼が言うには、ロシア人は本当は人のいい、騙されやすい、田舎者。それが社会主義となった瞬間に「世界の先駆的な革命国の労働者、人民」という特別な顔をするんだと言っていました。それがいわばプライドになっているわけです。

これは社会主義が良い悪いという問題ではなくて、仮面が人間を変えるのでしょう。人のいい日本の共産党員だって、社会主義の話になったら権威主義的だし、暴力には一部肯定的だし、革命の指導部にいるような言説を用いたりするじゃないですか。

それは結局、自己放棄だと思います。自分で考えない構えですよね。仮面を脱いで自分で考えると、やはり専門家の彼が言ったように人のいい、騙されやすい、田舎者に戻ってしまう。プライドがなくなって惨めになるんですね。だから絶対に仮面を脱ぐことができない。そういう基本的性格が今もロシアの人たちの中にあるように思います。

彼らは今、プーチン支持という仮面を被ることで自分たちのプライドを保っている、あるいは自信のなさをカバーしているのではないでしょうか。仮面を被ると何をするかわからないところがあります。それが恐ろしいんですね。

侵攻の予兆は何だったのか

池上　ほとんどのロシア専門家が今回のウクライナ侵攻を予測できませんでした。たとえば、国際政治学者で慶應大学教授の廣瀬陽子さんはテレビで、「まさか侵攻するとは思いませんでした、私が間違えていました」などとすごく正直におっしゃった。自らの不明を公然と認められる人は信頼できますよね。

私も侵攻前の2月にテレビ朝日の「大下容子ワイド！スクランブル」で、大下さんから「ロシアは本当にウクライナに侵攻するんですか」と無茶振りされました。それで「するかどうか知っているのはプーチン大統領だけです」とコメントした。逃げたと言われても仕方がない答え方です。ただ、絶対ないとは言えなかった。ロシアの行動はプーチン一人が決める。それは間違いないことなんですね。

保阪　アメリカのバイデン大統領は21年12月の時点で、早々と「ロシアが侵攻してもアメリカは武力行使はしない」と宣言しました。これも軍事侵攻のきっかけの一つでしょう。ただ「ウクライナへの支援はいくらでもする」と言い続け、実際、様々なサポートを続けています。そこには決して表に出て来ないという、いわば二重性があると思う。たとえば、「核のボタンを押したら」とか、どこかに限界があるということはプーチンとバイデンの間のやり取りの中で示されているのではないでしょうか。

バイデン大統領

バイデンはその時々で結構いいことを言っているとは思います。けれどもトータルで見れば、やはり無責任とも言えますよね。そもそもクリミア併合と東部のドンバス地方の親ロ派勢力の武装蜂起のきっかけは、親ロシア政権を追放し親欧米政権を樹立した２０１４年の「マイダン（尊厳）革命」です。その火付け役は当時副大統領のバイデンと言われています。火付け役が頑張れとだけ言っているわけだから、いかにも無責任でしょう。

もちろん、アメリカは裏で少数精鋭のすごい部隊を送っているかもしれません。また、アメリカがプーチンを油断させて引きずり込んだという見方もあって、その理由は武器の在庫一掃、22年11月の中間選挙で票を取るため、エネルギー価格の値上がり益目的、などと言われています。

それだからでしょうか。バイデンはじめＮＡＴＯ諸国の指導者たちを見ていると、どこか芝居染みた印象も受けるんですね。どこかで何か話が付いているような……。そんな中で、ウクライナの人々がひたすら犠牲を強いられているわけです。

今回のプーチンの暴挙に関しては、ドイツのメルケル首相引退の影響が大きいと思っています。抑えがいなくなったんですね。メルケルは東ドイツの出身だけにプーチンの正体、つまり、先に述べたKGBスパイ特有の性格、手法、思想、それを彼女は十分に見抜いていた。プーチンに対して率直に「そうじゃない、間違っている」と言えたし、プーチンもメルケルには一目置いていたと言われています。要は、メルケルにはプーチンの嘘が通用しなかったわけです。そういう指導者が欧米の中にいなくなった。それも暴走を後押ししたのではないでしょうか。

ちなみに、同じくプーチンと長く付き合った安倍晋三元首相はきっとなめられっぱなしだったと思います。なにせ「ウラジーミル、君と僕は同じ未来を見ている。ゴールまで、二人の力で、駆け抜けよう」とかすごいことを言っていましたから。今回は「アメリカとの核共有」とか言い出した。発言に一貫性がない。本当に無責任な人ですね。

21世紀の戦争は「情報戦」

池上　主権国家に戦車で攻め込んで行くなんて、20世紀前半の戦争のような様相を呈しています。一方で、情報戦という観点で言うと、ゼレンスキー大統領のSNS（ソーシャル・ネットワーキング・サービス）を活用した頻繁なメッセージの発信など、まさに21世紀の戦争なんだなと感じます。しかも情報戦においてはウクライナが圧勝しています。

ロシアは正規軍、非正規軍、サイバー戦、情報戦などを組み合わせるハイブリッド戦争が得意と思われていました。情報戦においても通信システムが相当高度に進んでいるだろうと。ところが意外にそんなことがなかったんですね。

ウクライナに攻め込んだロシア軍のことですから、当然、軍の内部での無線の連絡や電話のやり取りは全部に盗聴防止装置が付いている、はずですが、じつは現場レベルの兵士にまで行き渡っていなかった。ロシアの兵士たちは、とりあえず持って来た民生用の安い中国製の携帯電話を使おうとしました。でもウクライナでは使えなかったわけです。それでロシア兵は商店で盗んだり携帯電話会社を襲ったり、あるいは民間人から携帯を奪って連絡を取り合ったりしたんですね。

軍事用じゃないウクライナの携帯電話を使っているから、ウクライナ側は盗聴し放題です。また一斉に携帯のショートメールで、ロシア軍兵士に対して「降伏すれば身の安全を守ってやるし、ちゃんとお金の面倒を見る」と送ったりした。そのメールで戦車ごと降伏した兵士もいると言われています。

一方で、ロシアの攻撃を受けて携帯電話の中継所が次々に破壊されていきました。それでウクライナの副首相兼デジタル転換大臣のミハイロ・フョードロフがツイッターで、テスラとスペースXの創業者イーロン・マスクに英語で呼びかけるわけですね。「あなたが火星を植民地にしようとしている間に、ウクライナはロシアの植民地になってしまいます。スターリンクの中継機をプレゼントしてください」と。そうつぶやいたら、すぐにイーロン・マスクが応じて、あっという間にウクライナのブロードバンドサービスを開始し、大量の通信機器もウクライナに届けました。

スターリンクの人工衛星は2000基以上も地球を回っていて、ウクライナ上空でも常に複数飛んでいます。それでウクライナ軍の通信網が復活して、既存の中継所を破壊されても連絡を取り合うことができるようになったんですね。

また、コロナ対策で日本の厚労省が新型コロナウイルス接触確認アプリ「COCOA

（ココア）」を配布したじゃないですか。似たようなアプリがウクライナにもあって、たくさんの民間人がスマホにインストールしています。そのシステムを情報収集に使っているんですね。「ロシア軍の軍用車や戦車を見かけたらすぐ連絡してほしい」と。

つまり、民間人がスパイ活動をして、その情報に基づいてウクライナ軍が待ち伏せ攻撃をしてトラックや戦車を破壊するということをやったわけです。主に活用した兵器が、アメリカから提供された歩兵携行式の対戦車ミサイル「ジャベリン」です。相当な効果を発揮したのですが、結果的にロシアからすると「民間人はいないだろう」ということになってしまったんですね。

だからロシア軍は、民間人を捕まえてスマホの中身をチェックする。ロシア軍の動向をウクライナ軍に伝えていると「こいつはスパイだ」ということで、その場で処刑していると言われています。

すごく難しいところですよね。民間人を次々に処刑するのは戦争犯罪そのものですが、おそらくロシアの言い分は「こいつらは民間人の格好をしたウクライナ軍側のスパイだ」ということでしょう。こうなると、民間人を巻き込んで情報戦に圧勝しても、単純には喜べないわけです。

ゼレンスキー大統領の発信力

池上　ゼレンスキー大統領は、元コメディアンです。ただ、日本でコメディアンというと、お笑い芸人のイメージがありますが、そうではない。脚本家でもあり、高度なレベルの演出家でもあります。だからなのか、いざという時に相手の心を摑むのが得意なようです。SNSのメッセージの出し方もそうですが、その能力が発揮されたのが、ウクライナ侵攻から1カ月ほど経ってからの友好国への支援要請の演説でした。各国の国民の心の琴線に触れて、共感を得てしまう。感心させられるものでした。

たとえば、イギリス向けの演説「我々は最後まで戦う。海で、空で、森で、野で、海岸で」。これは第二次世界大戦でチャーチルが国民に向かって呼びかけた演説の言葉を模したものですね。フランスを支援したイギリス軍が敗退を重ね、ダンケルクの海岸から本国に撤退せざるを得なかった時の名演説です。ドイツに負けてしまうのかと、意気消沈していたイギリス国民を一気に奮い立たせました。イギリス人なら誰でも知っている言葉なんですね。しかも、ナチと戦った指導者の演説を引用したことで、ゼレンスキーはウクライナの正当性をアピールしています。ロシアはウクライナを「ネオナチ」と決めつけて攻撃していますから。

また、フランス議会に対しては、第一次世界大戦の激戦地だった「ベルダン」の地名を使いました。今ウクライナが「ベルダンのようになっている」――。その地は、フランス軍が36万あまりの死傷者を出しながら、ドイツ軍と戦った場所です。議員もフランス国民も胸が熱くなったでしょう。

アメリカ議会向けには「I have a need（私には必要なものがある）」。つまり「私たちには空を守る必要がある」として対空兵器などの供与を求めました。

これは黒人差別撤廃に取り組んだ故マーティン・ルーサー・キング牧師の演説の一節「I have a dreem（私には夢がある）」を模したものですね。アメリカで有名なだけでなく世界の多くの人に知られている言葉です。また、真珠湾攻撃や9・11同時多発テロ事件を例に挙げたことも話題になりました。

日本の国会向け演説では、事故にあったチェルノブイリ原発が攻撃され、戦場になってしまったことを述べました。そして、「侵略の津波」「避難した人たちが故郷に戻る」という言葉を使って、ウクライナの人々が住み慣れた故郷に戻りたい気持ちをわかってほしいと語りかけました。

一連の演説も、もちろん情報戦の一つです。ゼレンスキーはいかに国際社会を味方につけるか、ちゃんと考えて発信し続けています。国内世論はもとより、世界の人々の胸を打ち、共感を得ているという点では、やはりウクライナの圧勝ということですね。

アメリカからの情報提供と情報統制

池上　アメリカからの情報提供もウクライナの抵抗に相当貢献しています。情報源は主に三つあって、一つは偵察衛星の画像。ロシア軍がここを通っているとか、ほぼリアルタイムでウクライナに伝えている。もう一つ、アメリカはロシア軍の様々な通信を傍受しています。ＮＳＡ（国家安全保障局）が盗聴しているし、イギリスのＧＣＨＱ（政府通信本部）も盗聴しているので、アメリカはそのデータも手に入れて提供しています。

三つ目は、ロシア軍の中にいる情報提供者。それなりに必ずいるはずですが、ただ、これはそのままウクライナに提供できない。というのは、ウクライナ政府・軍の中にもロシアのスパイがいるから。なので情報源がわからないように処理をしてからウクライナ側に伝えていて、２、３日のタイムラグがあると言われています。アメリカはそうやって入手した情報をウクライナにどんどん伝えているんですね。

当然、ロシア、ウクライナともに情報統制を行っています。ロシアのほうが露骨でよく報道されていますが、だからと言ってウクライナが全くやっていないかというとそうではない。たとえば、ゼレンスキー大統領は4月15日の時点で、ウクライナ軍の死者について「我々の把握している限りでは2500〜3000人だと考えている」という言い方をしています。一方で、ロシア軍の死者数は「1万9000〜2万人だ」と言っています。ロシアはロシアで、自国の兵士がどれだけ死んだか言わない。ロシア国防省が3月下旬に1351人と発表して以来、何も発表していません。でも4月中旬の時点で、外国人傭兵を含めてウクライナ軍の兵士を「2万3367人、戦闘不能にした」と言ったりした。お互い自国の損害は言わずに、敵の損害を多めに言っているわけです。

保阪　ロシアの戦車部隊があんな列を作って敵地を移動するなんて、専門的には常識外れだそうですね。「ウクライナに反撃する力はない」と完全になめていたからできたのでしょう。つまり、侵攻前の情報収集・分析からしてロシアは情報戦に負けていたということになります。

情報戦という点で、私が非常に不思議に感じているのは、ロシア、ウクライナ軍ともにどのような部隊が参加し、どういう戦闘が行われているかが、全く具体的に報道されていないことなんですね。

普通なら両軍とも○○師団とか部隊名とかが明記されて、その上で戦況のリポートや戦果やらが報道されるでしょう。ところが今回はそういう報道が全くない。つまり、自軍の活躍を大げさに宣伝する「大本営発表」すらほとんどないわけです。

情報戦と言えば聞こえはいいでしょうが、要は隠密裏に戦争が進むことで、双方が腹の探り合いをしている。事実が見えてこない、これが新しい戦争の形式なのかもしれません。

ウクライナの徹底抗戦をどう見るか

池上　一般市民にも事実上「戦え」と命じ、徹底抗戦を続けるゼレンスキー大統領に対して、「人命を第一に考えて降伏したほうがいい」という発言をするコメンテーターもいます。炎上したりしていますが、当事者ではない日本の人が言うのはどうでしょうか。そこは主権国家なのだから、やはりウクライナの人たちが決めることでしょう。ただ、とても難しい問題なのは確かです。
この戦争によってたくさんの民間人の犠牲者が出ています。それは見ていてたまらなく辛いことです。どんなかたち、どんな屈辱であろうと、とにかく戦うことを放棄してしまえば、人命の損傷はある程度止められるかもしれません。けれどもそのあと、そこにいる人たちが本当に平和でいられるかどうか。相手はロシアです。シベリアに連れて行かれて強制労働をさせられるとか、日本が終戦後にやられたことをやられないという保証はありません。

それに「自国の領土あるいは主権は、命をかけて守るべきものなんだ」と思っている人たちがヨーロッパには大勢います。ヨーロッパには長い戦乱の歴史があり、第一次世界大戦や第二次世界大戦でも、自国の領土と主権を守るためにたくさんの血が流された。そういう歴史的な背景がある中で、ウクライナは徹底的に抗戦すると決めたわけです。

だから第三者の日本としては口出しできないと思います。ただしものすごく難しいのは、先ほど紹介したように、民間人がスマホでロシア軍の情報を伝えているというのがわかると、スパイ扱いされて処刑されてしまう。つまり総動員体制で戦争すると、それによって民間人の犠牲者が増えてしまうわけです。そういう現実を知れば知るほど辛い。辛いけれども、やはり日本人はどうこう言える立場ではないと思います。

保阪　日中戦争で、日本兵は道端で普通のおばさんが野菜を売っていると、「これはなんだ?」と尋問したそうです。爆弾を隠し持っていて背中を見せたら投げてくるかもしれないから。この中国人のおばさんは野菜を売っている露天商なのか、兵員なのか。でも、何も確認しないでいきなりバーンと撃ち殺すということもやっている。疑わしいというだけで、人の命を奪えてしまうのが戦争、とりわけ総動員体制の残酷さですね。

ゼレンスキー大統領は兵士に「投降するな」と呼びかけているそうです。日本も戦中、昭和16年に東条英機が戦陣訓で「生きて虜囚の辱めを受けず」と示達しました。でもこれは、全存在をかけて捕虜になるなと言ったわけです。それで捕虜になることは自己否定だということになって、無残な自殺的攻撃が珍しくなくなってしまった。

ウクライナの場合は自己否定まではいかないでしょう。途中で戦いをやめるな、戦い抜いて、それでもダメなら捕虜になっていいということだと思います。それを含んでいないと、指導者が勝手なことを言うなと反発されるはずです。現場で兵士自身が降伏すると決めたことに対して、おかしいと言う権利は本来、指導者にもありません。

私が心配しているのは、じつはゼレンスキー大統領の精神状態なんですね。ポリティカルな分析から離れてヒステリックになっている気がします。もちろん、彼以外に頼ることはできないでしょうが、嫌な言い方をすれば、徹底抗戦すればするほど、いろんな意味で「代理戦争」になっていく。そうなると、ウクライナの人たちは代理戦争の犠牲者とも言えるわけです。

さらに心配なのは、特攻隊のようなものが出てくるんじゃないかということ。日本では戦争末期、中学生に火薬を背負わせて戦車が来たらマッチで火をつけて飛び込むというような訓練をさせていました。そういうことをウクライナがやるようになったら、国際社会の見方は変わるでしょうね。

戦争の結末は「分断」か？

池上　ソ連時代に酷《ひど》い目にあった国々がＮＡＴＯに入るのは、ロシアから離れようと西に逃げて行こうとしているとしか、私たちには見えません。ところが、プーチンにはＮＡＴＯが東に攻めて来ているように見えてしまう。つまり、ウクライナまでＮＡＴＯの一員になったら、次に危ないのは自分だという被害者意識なんですね。
ソ連の時代もそうですが、ロシアは自国の国境線の向こう側に自分の言うことを聞かない国があるということに、恐怖心、危機意識を持ちます。だから必ず緩衝地帯を設けておきたいんですね。ソ連の時代には東ヨーロッパ諸国が緩衝地帯でした。けれども東西冷戦が終わり、東ヨーロッパ諸国のほとんどが西側に行ってしまい、ソ連も崩壊した。それでロシアは、かつてソ連を構成していたベラルーシやウクライナ、ジョージア、モルドバを緩衝地帯にしようという思いをずっと持っていたわけです。

ロシアにしてみると、ウクライナがNATOに入ると国境を接する向こう側にアメリカやドイツの軍隊が駐留することになります。これは悪夢なんですね。何としてもそれを阻止して、ウクライナを緩衝地帯にしておきたいという思いが募ってきた。だから、ロシアの人たちが多いクリミア半島と東部のドネツク、ルガンスクを結ぶ回廊を維持することによって、ロシアにとっての緩衝地帯を築くまで侵攻を続けると思います。

当初は違ったんですね。電撃的に空挺部隊を投入して首都キーウに攻めて行って、一挙に占領してゼレンスキー大統領を殺害あるいは拘束しようと思っていた。それができなくなったから、せめて東部、できれば南部も押さえてしまおうと方針を変えたわけです。ただ、ウクライナは東部・南部を占領されたままでは黙っていないでしょう。今後、ロシアが勝手に勝利宣言しても、ウクライナは占領軍に対する攻撃を続けて、それが数年も続いてしまう可能性が十分にあるので、ますます犠牲者が増えることが心配されますね。

ウクライナの東部・南部で戦線が膠着《こうちゃく》したら、国際社会はとにかく停戦しろと、停戦ラインあるいは非武装地帯を作らせようとするのではないか。つまり、朝鮮半島が南北に分断されたようなことがウクライナで起きるかもしれません。中長期的には十分にその可能性があると個人的には見ています。

「満蒙は日本の生命線」と、ウクライナ侵攻との重なり

保阪　ロシアはウクライナに対して「我々の安全のためにウクライナは存在する。我々の意見に背くことは許さない」と言い、軍事で実証しようとしています。そのやり方を見ていると、かつての日本が自分たちの権益を守るため満州国を「生命線」と呼んだ歴史と重なる部分がありますね。

「満蒙は日本の生命線」というのは昭和6年に後の外相、松岡洋右が言った言葉です。そもそも生命線という言葉は、明治23（1890）年に帝国議会衆議院で、首相の山県有朋が、より多くの軍事費を獲得するために説明に使った「主権線」「利益線」という用語がもとになっています。山県は日本列島の四つの島と沖縄を囲むラインを主権線、中国やロシアなどの一部を含むラインを利益線と呼びました。「利益線を固めなければ主権線も守ることができない」という国防の考え方を示したのです。

これが図らずも、その利益線まで日本の権限の及ぶ領土に組み込むべしという帝国主義

的な領土拡張政策の宣言になったわけです。結果的に日清・日露戦争、第一次大戦時のシベリア出兵を経て利益線を「点」でカバーするようになり、資本主義側の列強の中にアジアから唯一仲間入りを果たします。以降、点を線にしていこう、利益線を延ばしていこうと軍事大国化する。そして傀儡《かいらい》を使って「面」でカバーしようと、中国東北部で関東軍が満州事変を起こし、日本の生命線という言葉を使い、次々に兵を送って制圧し、ついに昭和7年3月1日、満州国を建国するわけです。

日本は独立国家として満州国を中国から引き離そうと、「五族協和」「王道楽土」という建国の理念を作り、清の皇帝だった溥儀を執政に就かせます。満州は農業も工業も発展しておらず、中国にとっては孫文が「売ってもいい」と日本側に示したことがあるくらい関心のない地域でした。とはいえ、当然ながら中国は国際連盟に抗議した。日本は満州国に来たリットン調査団に対して、ここは中国人だけの土地ではなく、満洲人、日本人、漢人、蒙古人、朝鮮人という五つの民族で成り立っている人造国家であり、日満議定書に基づく委任統治によって存在すると主張します。でも、国際社会はどこも認めず、日本による侵略だとなったわけです。この満州国の建国以降、日本の膨張主義は敗戦まで続きます。

こうしたやり方は、ある意味、帝国主義の国土拡張政策の教科書通りの手順を踏んでいるんですね。ロシアのウクライナ侵攻もそうで、20世紀型の帝国主義戦争をそのまま繰り返しているわけです。

また、ロシア系住民の保護を理由に侵攻を始めた点では、ポーランド国内でのドイツ人への迫害を理由の一つにして始まったナチス・ドイツによるポーランド侵攻（1939年9月1日）にも重なって見えますね。

このポーランド侵攻が第二次大戦の始まりとされています。ただ近年の研究では、ヒトラーとスターリンが9日前の8月23日に独ソ不可侵条約を結んだ際、ドイツが先に西部に侵攻し、後からソ連が東部に侵攻してポーランドを両国で分割統治するという密約があったとされています。実際、独ソのポーランド侵攻はその通りに進んだわけです。

プーチンは「我々が独ソ戦でナチスを倒したおかげで連合国は勝利できた」と盛んに言っているし、ロシアの人たちもすごく誇りにしています。だから、今回の「特別軍事作戦」もウクライナの中立化とともに非ナチ化を大義名分の一つにして国内世論の一定の支持を得ています。

ところが密約の存在が指摘されると、第二次大戦はドイツとソ連が一緒に始めた戦争だという評価になってきて、欧州議会もその考えでまとまっています。ソ連が２７００万人という桁外れの犠牲者を出してナチス・ドイツと戦ったのも事実ですが、一方で、プーチンは激高するでしょうが、「身から出た錆」と言える面もあるわけです。その意味では、プーチンが反ナチスを持ち出すことに、いろんな意味で空々しさを感じてしまいますね。

中国の存在感はどう変わる？

池上 ロシアに対する経済制裁は、停戦したらすぐに解除というわけではありません。停戦後、ロシア軍がウクライナから全て撤退して、「もう戦争しません」となって初めて解除になります。まだ相当時間がかかるでしょうから、ロシア経済への影響は時間とともにじりじりと大きくなっていくと思います。

ロシアは2014年のクリミア併合の時に、すでに経済制裁を経験しています。それで対処の仕方を学んだ。たとえば、外貨準備です。いつ経済制裁があってもいいように外国の金融機関に外貨準備を積み上げてきたわけです。

ところが今回、その外貨がアメリカのFRB（連邦準備制度理事会）とか日本銀行とか、世界中の金融機関によって差し押さえられてしまって、半分がもう使えなくなってしまった。これは誤算ですよね。

ただし、中国が経済制裁に加わっていません。たとえば、アメリカのクレジットカードのVISAやマスターカードは使えなくなったという制裁にしても、ロシアの人たちは海外で使えなくなったけれども、国内ではカードの有効期限までは使えます。それに中国のクレジットカードの「銀聯《ぎんれん》カード」を使えば、国内はもちろん海外でも使えるんですね。

このままだとロシア経済は中国頼みになっていき、経済的に中国の下になってしまうと思います。つまり、ロシアにとっては屈辱でしょうが、中国に支配されつつあるということです。

保阪　ロシアと中国との関係はどうなるか。今、ロシアは欧米型の国際社会の中から、これほど見事に弾《はじ》き出されるのかという状態になっています。だから上下関係はともかく、中国と一体化してやっていかないといけない状態になっているわけです。

かつてソ連と中国は、何度かの対立はありましたが社会主義の兄弟国みたいなものでした。ただ1971年、アメリカのニクソン政権の国家安全保障担当大統領補佐官だったキッシンジャーが、徹底的に批判していた中国の周恩来、毛沢東と突如話をつけて米中があっという間に手を結びましたよね。あの時のキッシンジャーには、ソ連と中国は一体ではないし、その対立は我々にとってのプラスだという読みがあったと思います。その後、日本の田中角栄首相が周恩来と初めて会った時、周恩来は「あなたたちはソ連を信用するかもしれないけれども、あんなに信用できない国はないよ」と言っています。要するに中国は、兄弟国のソ連をずっと批判していたわけです。

まして今の中国は、ロシアに対して何の義理もありません。中国にとって最大の関心事は中米関係ですよね。つまり、ロシアが対アメリカで我々と一体化するならまだしも、そうでないなら勝手にやりなさいと、見捨てるでしょう。

習近平国家主席

中国という国は全く甘いところがない。共産主義の独裁だから反省がありません。さらに官僚主義だからこうと決めたことはどこまでも正しいと押し通します。本音と建前が違います。それに非常に狡猾《こうかつ》なんですね。たとえば、アメリカと対立しながらも、共産党員たちは子どもたちをアメリカへ留学させて、アメリカで生活基盤を作らせている。アメリカに対して「我々には我々の民主主義があるんだ」と見栄を切る一方で、アメリカのほうが「良い国」だとちゃんとわかっているわけです。

今回のウクライナ侵攻でも、ロシアに対する中国の振る舞い方はよく物事を見ているという感じがします。だからうまいけれども、ずるい。結局、最後にいいとこ取りをするでしょうね。

中国の台湾侵攻もあり得るでしょう。共産党独裁国家というのは、最後は暴力に訴えることで成り立っているわけですから。決して甘く見ないほうがいいと思います。

日本の安全保障の行方

池上 ウクライナ戦争を受けて、日本は安全保障に対して今、どういうことを考え、どういう議論をすべきなのか。たとえば、安倍晋三元首相は「核兵器を持ったほうがいいんじゃないか」といったことを言い出した。「ご自身が総理大臣の時になぜ言わなかったんですか」と、ツッコミを入れるだけで一蹴できる類いの話です。この状況に便乗するのではなく、やはりもっと真面目に議論しないといけないでしょう。
日本にはアメリカ軍基地があります。もし、日本を核攻撃するとアメリカ軍基地もやられるわけです。これがまさに抑止力になっていると思います。

安全保障には「トリガー（引き金）」という考え方があります。たとえば、韓国の安全保障。以前は朝鮮半島を南北に分ける軍事境界線のすぐ南側にアメリカ軍基地が置かれていました。息子のブッシュ政権の時に方針が変わって、ソウルの南側に移転しましたが、以前はあえて軍事境界線に非常に近いところにアメリカ軍基地を置いていました。

それはどうしてか。この状態であれば、もし北朝鮮が韓国に攻めて来れば、真っ先にアメリカ兵に犠牲が出ますよね。そうするとアメリカ国民が黙っていない。北朝鮮が韓国を攻めて韓国兵が死んでもアメリカ国民は冷ややかですが、アメリカ兵がたくさん死んだら許せない、やっつけろとなる。つまり、アメリカ軍基地への攻撃はアメリカが参戦するトリガーになるというわけです。なので、アメリカ軍基地を軍事境界線のすぐ南に置いていたんですね。

ところが、ブッシュ政権になってからアメリカが北朝鮮に対して先制攻撃をできるようにしようじゃないかとなった。軍事境界線のすぐ南に基地があったら、先制攻撃した時に北朝鮮からの反撃の格好の標的になって大きな被害が出ます。だから、軍事境界線から離れようということでソウルよりも南側に移転したわけです。じつは、これは先制攻撃をする準備ができているという北朝鮮への警告でもありました。

翻って日本はどうか。アメリカ軍基地が領土内のあちこちに置かれているというのは、確かに困った問題ではある。でも、日本が攻撃された時にアメリカ軍基地に被害が出てアメリカ兵が大勢死ねば、アメリカ国民はいきり立って、「参戦しろ！」となります。これ、まさにトリガーですよね。つまり、アメリカ軍基地を日本に置いておくことが日本の安全保障、他国から核攻撃を受けない抑止力につながっている。日本の場合、安全保障の議論はこの現状からスタートするしかないと思います。

保阪 最近、ある講演で「もし日本がウクライナのように外国から侵攻された時、政府はどう対応すると思いますか」と質問されました。そういう質問はよく出るのですが、これまでは「仮定だから答えられない」と言っていた。でも今は、現実にあり得るかもしれないと、私自身が思っています。

それで「三つの対応が考えられる」と、次のケースを挙げたんですね。一つはアメリカ軍頼みです。何から何までアメリカさんやってくださいと。二つ目は憲法に則って専守防衛の範囲でやれることだけやって、ダメなら降伏する。つまり、憲法そのものを守るわけです。三つ目は政府がクーデターを起こす。たとえば、岸田内閣が意図的にクーデターを起こす可能性も出てくる。そして、今の憲法で定まっている全ての権限、機能を止める。

それで急いで新しい対応の仕方、「軍」をどうするかなどを考えていく。クーデターという言葉はどぎついけれども、憲法の権限を止めて新しい何でもできる政治的空間にしてしまうわけです。こんな時代は怖いですね。

私は正直言って、現状ではアメリカ頼みだと思っています。頼まれたアメリカがハイと言うかは別にしてですが。

講演のあと、主催者が「一番可能性あるのはクーデターじゃないですか」と言っていましたが、重要なのは自衛隊ではなく政府がやってしまうという点です。じつは、日頃から考えて、きちんと法律とか運用とかを整備しておかなければいけない。具体的にそんなことまで考えなければいけない時代になったんですね。

それなら「スイスを真似しろ」というのが私の考えです。私たちの世代は子どもの頃、「日本は東洋のスイスになれ」とマッカーサーに言われました。それで「スイスは永世中立国で、理想の国だ」と思って育ってきたわけです。

でも後年、徴兵制の国だと知った。スイスをよく知る人からも「スイスほど軍事的な国はないよ」と教えられたこともあります。スイスの人たちは日頃から軍事訓練を受けています。各家庭に必ず鉄砲もあるし軍服もあるし、マニュアルもある。マニュアルには、たとえば、どこかの国が攻めて来た時、自分の家にある鉄砲で撃ったとしたら、単なる殺人犯。町内の連隊長がいる連隊に軍服を着て集まって、組織として抵抗して戦った時は英雄になる。国家的に容認された戦争になるといったことが細かく書かれているんですね。そこまで教え込むのが本当の防衛の姿のように思います。

第三次世界大戦につながるのか

池上　ロシアが核兵器を使うのではないか、そうなったら第三次世界大戦になるのではないかと心配する人も少なくないようです。でも実際、どこに使えるのか。使うとしたら戦術核兵器でしょうが、たとえば、キーウに使ったらロシア正教会の教会が消えてなくなります。ウクライナにはカトリックの教会もありますが、ロシア正教会の管轄にとどまっているウクライナ正教会と、ロシア正教会から独立したウクライナ正教会があるんですね。

プーチン大統領はウクライナ侵攻について、ロシア正教会のキリル総主教から祝福を受けています。つまり、ウクライナ侵攻を支持してもらっている。キーウに使ったらその伝統あるロシア正教会の美しい教会がなくなります。そんなことはプーチンにとって自殺行為ですからね。キーウに対して使うことはあり得ません。

そうすると、どこかうんと離れた小麦畑か、とうもろこし畑か、人間への影響が少ないところに戦術核兵器を使って小規模な爆発を起こしてみせるくらいしかできないでしょう。いずれにしろウクライナ国内で使う限り、NATOに対する核攻撃にはなりません。だから第三次世界大戦にはつながらないわけです。

もちろん、ポーランドなどNATO加盟国にミサイルが飛べば、必ずそれに対する反撃が行われます。その意味では、ロシア軍とNATO軍との小規模な戦闘、紛争は起こり得ます。

もう何年も前ですが、ロシアは核兵器の使い方についての基準を改めました。核攻撃ではない通常兵器の攻撃であっても、それによってロシアの存続が危ぶまれる場合は核兵器を使うと宣言しています。だから、小規模な戦闘であれば核兵器を使うとはならないけれども、通常兵器でロシアが壊滅的なダメージを受けたら核兵器を使うことはあり得るんですね。

その反撃にNATOも核兵器を使うのが第三次世界大戦です。核兵器を使わない第三次世界大戦というのは考えにくい。そうなったらロシアは消えてなくなり、ヨーロッパにも人が住めなくなり、アメリカも東海岸は人が住めなくなるでしょう。何億人も死ぬわけですよ、一瞬にして。そんな大戦はあり得ません。つまり第三次世界大戦にはならない。ただし、これからも小規模な軍事紛争は十分あり得ますよね。

保阪　初めのほうで「遺伝子に戦争の残酷さは刷り込まれていない」と言いました。核兵器が飛び交う第三次世界大戦となり、人類が全部滅びるような経験をしたら、ようやく戦争忌避の遺伝子が組み込まれるのかもしれません。これはかなり絶望的な話でしょうが。

人類誕生から20万年、人間はずっと争いごとをして血を流し合ってきました。これは要するに、遺伝子の中に人殺しを否定する遺伝子を組み込む必要がなかったと言えると思います。私はよく「戦争はなぜあるのか」と質問されるんですね。そういう時は必ず「理由は三つある」と言って、次のように答えています。

一つは種の本能。自分たちの種を残していきたいという本能があるから、種が危機に陥った時には戦争になる。もう一つは食べること。食べ物がなくなって、食の危機に陥った時に戦争が起こる。三つ目は空間。我々にはそこにいると安心感、心が安らぐ空間がある。日本人なら日本という空間にいると安らぐ。その空間をめぐって戦争になる。人間が種、食、空間の三つを求めるために戦争はあるというのが私の見方なんですね。

この三つに対する感情や欲望は不可避的に存在しておかしくないでしょう。だから人間は戦争の残虐行為を忌避する遺伝子は組み込んでこなかったと思います。

戦争が悪だというような遺伝子は、今回のウクライナ侵攻でも、残念ながら組み込まれないと思う。ロシアは自分たちの空間の安寧が保障されていないとして攻め続け、ウクライナは種を守るために抵抗し続けるでしょう。

そして、第三次世界大戦も戦争を止める遺伝子が人間の中に組み込まれない限り、起こり得るでしょう。だからこそ感情や欲望ではなく、知性や理性で戦争の残酷さを見つめ、それを繰り返し止め続けていくしかないと思います。

「新たな帝国主義の時代」の予兆

池上　ロシアのウクライナ侵攻を見るにつけて、これからの21世紀、「新たな帝国主義の時代」が来ようとしているという思いを強くします。それは植民地を締め上げるといったタイプの古い帝国主義ではありません。
先ほどプーチンの長期戦略をユーラシア連合、緩やかなネットワークの帝国と紹介しましたが、「ロシア帝国の栄光よ、再び」という野望であり構想と言い換えることができます。中国の習近平国家主席の帝国主義的な長期戦略にも「明の栄光よ、再び」といった言い方が当てはまるでしょう。つまり、漢民族の大帝国は明の時代だった、そのあとの清は異民族支配だったからダメ、中華民国も全然ダメだった。だから明の時代、漢民族がその栄光を取り戻すという思いがどこかにあるわけです。

どちらの帝国主義も、直接支配する植民地を持ちたいのではないけれども、広大な地域に対して勢力・威力を持ち大国として振る舞うことを企図しています。そういう帝国主義の時代がこれから残念ながら来るのではないでしょうか。

要するに、オスマン帝国のような帝国が誕生するということです。私が学生の頃オスマントルコと習ったように、トルコ人だけの帝国と思われがちですが、決してそうではありません。確かにオスマン帝国にはトルコ人がいたけれども、その領土は広大で、様々な民族を包含していました。イスラムの帝国だけれども、キリスト教徒だってユダヤ教徒だって税金を納めれば認められていた。じつに多種多様な民族のネットワーク型の帝国としてオスマン帝国は存在していたわけです。だから長く存続することができたんですね。

プーチンが目指すロシア帝国もスラブ人だけの帝国ではありません。たとえば、南コーカサスだけでもオセット人やアブハズ人、タリシュ人などいろんな民族の人たちがいます。習近平にしても「中華民族の偉大な夢」といった言い方をしていますが、中国はウイグル族やチワン族、ヤオ族など56の民族から成り立つ多民族国家だと認めています。つまり、多民族が一緒に暮らせるような広大な帝国を目指さざるを得ないわけです。

そういう多様な民族を内包する巨大で緩やかな帝国ができてくるのではないか。それはロシア帝国、中国帝国だけではありません。トルコのエルドアン大統領も「オスマン帝国の栄光よ、再び」とばかりに、最近、国賓を招く式典に参加する兵士にオスマン帝国時代の制服を着せています。

今まさに行われているウクライナ戦争は、いくつもの新たな帝国が群雄割拠する21世紀の予兆を感じさせる、いわば歴史の大きな転換点となる動きではないでしょうか。

保阪　日本の近現代史は2022年の時点で、明治から戦前・戦中の近代史77年、戦後の現代史77年がちょうど対《つい》になりました。その中に大日本帝国憲法、日本国憲法が抱え込まれています。ウクライナ侵攻によって、これからはその近現代史から新しい時代に入るように思えます。先に「日本政府によるクーデター」の可能性を指摘したのも、そういう予兆を感じるからです。

その新しい時代は、中国がアジア的な文明文化、伝統、やり方を代表し、アメリカが西欧的な文明文化、伝統、やり方を代表して、米中が競い合うかたちがしばらく続くのではないでしょうか。

この競い合いが生活の向上、相互理解度の広まりといったプラスに働いていくのか、軍事的衝突になっていくのか。いずれにしろ、これからは米中の思想的な対立で世界が動きそうな感じがします。今日のアメリカ、中国の動きはそれを意図しているように見えます。

アジアの一員である日本は、中国が今やそのチャンピオンであることは理解できるでしょう。しかし現実には、日本はアメリカを向いています。西欧的な価値観、やり方と一体化して、中国に対して批判的になっています。そこを含めて、いわばゼロから考え直さなければいけないのが新しい時代だと思います。この時代に日本はどのような道を歩むべきか、英知が求められているように思うのです。

第1章　日本の常識、非常識

保存されているアウシュビッツ・ビルケナウ収容所。引き込み線と正門＝ポーランド、2008年撮影

歴史には「潮目」がある。その真っ只中にいるから気づかないだけだ。たとえば、一連のコロナ対策や、東京、北京での夏季・冬季オリンピック。明らかになったのは「日本の国際的非常識」と二人は断じる。その原因は何か。
「歴史の目」を通して真に考えるべき現在の問題と未来への答えを提起する。

潮流の中での「見る目」

池上 ウクライナ情勢は序章で見た通りですが、私たちは今どういう時代を生きているか、冷静に捉えていかなければなりません。あるいは、この数年間に起きた事柄からどんな未来が読み取れるかといったことについて、保阪さんと考えていきます。

保阪 よく「歴史に学ぶ」と言いますが、歴史的な経緯をきちんと振り返ってみると、あそこがここにつながる転換点だったということが見えてきます。そういう事例を参照しながら、今日起きている出来事について議論し、今後を見通していくという試みです。かなり難題で、どんな展開になるか。

池上 確かに難しいテーマですね。歴史には潮目がありますが、それはあくまでも後になってわかることです。たとえばバブル経済でも、弾けた時に初めて「あれはバブルだったね」と断定できる。保阪さんの専門の太平洋戦争に向かう経緯、分岐点にしても、後になって「あ、ここが決定的だった」と理解できるわけです。そういう意味で言うと、まさに歴史の潮目の只中にいる私たちが、その本当の意味に気づくためにどうすればいいか。

保阪　たとえば、今のコロナ禍とか、21年夏の東京五輪・パラリンピック、22年冬の北京オリンピックとか、この時代の空間の中には伝えるべき予兆や潮目がいくつもあるはずです。それにいち早く気づくためには、歴史を振り返ることが不可欠でしょう。

何をデータとして使いながら今の時代を分析していけばいいのか、そんなことも考えながら議論したいですね。私たちは、ともすればデータそのものについて無頓着に見過ごしています。歴史を振り返るという場合もそうです。ひと言で言うと「見る目」を養わなければいけない。

私は立花隆さんと定期的に会って話す機会を持っていましたが、彼がある時、「我々は戦後の民主主義の一期生だし、戦争体験を語るのはいいけれども、語る時の主体は誰なの?」と、私に問うてきました。

「日本社会から太平洋戦争や広島・長崎の原爆を体験した人間が一人もいなくなった時、

戦争や原爆はどう伝わっていくのか。アメリカやイギリスと同じとは思えないけれども、どんな主体が語っているのだろうか」というわけです。そして、「我々は戦後教育を小学校1年生から受けた時、まるで昨日の軍国主義は江戸時代の話のように、あり得ない話として習った。つまり、歴史を断絶して習ったけれども、ある時、その歴史が連結していると気づいてゾッとしたよね」と言ったのです。

私にはよくわかる「見る目」に関わる問題意識でした。あの戦争を体験した人が一人もいなくなった時のことを考えて、主体が代わっても残っていく伝え方をしていく。「それが私たちの役目なんじゃないか」と二人で話しました。

たとえば、歴史のいろんなデータを引っ張り出して、現在や未来の「テストケース」として伝えるのも、典型的な「見る目」だと思います。まさにこの対談のテーマですね。「歴史を語る主体」というのは、いかにも立花さんらしい問いの立て方ですが、彼が亡くなった後に思い出して、大事なことだと改めて感じました。

池上　戦争体験を語れる方が相当ご高齢になって、残念ながら筋道を立てて話せなくなっています。今や、そういう方たちから直接取材をしたベテランの論者も貴重な存在です。立花さん、そして半藤一利さんもいらっしゃらなくなって、保阪さんの責任は一段と重大ですね。

保阪　池上さんとの対話の中で、「歴史を伝えるとはどういうことか」といった考えも深めていけるのではないかと期待しています。

メディアは豹変する

池上　私たちは「歴史の潮目」に気づくことができるかどうか。改めて「オリンピック」を俎上に載せてみましょう。

東京2020オリンピックについて、テレビも新聞も「コロナがこんな状況で本当にオリンピックをやるのか」と、ずっと懐疑的な報じ方をしていました。北京冬季オリンピックでは中国の人権問題から「外交ボイコット」という事態に発展しました。続くパラリンピックは、ウクライナ侵攻でロシアとベラルーシは不参加となりました。スポーツというよりむしろ政治問題として報道されたんですね。ところが、いざオリンピックが始まった途端、テレビも新聞も朝から晩までオリンピック一色になった。

こういうメディアの「豹変ぶり」を見ていて思い出したのは、戦前1933年の日本の国際連盟からの脱退です。「脱退したほうがいい」「いやいや、残ったほうがいい」という政治家の間でも二分するような議論がある中で、新聞が一斉に「国際連盟から脱退しろ」と論じるようになった。あるいは1937年に始まった日中戦争の時も、当初は懐疑的だったり反対したりしていたのが、どの新聞も「もっとやれやれ」にガラリと変わりました。

オリンピック報道も、一挙にそうなったわけです。

もちろん、オリンピックの金メダルは感動的です。私も「頑張ったね、素晴らしいね」と讃えたい。ただし、それを言わないと「非国民」のようなムードに見事になっていました。結局、日本はこうなるのかな、あの頃と何も変わっていないなと感じました。保阪さんはオリンピックについて、何か思うところはありましたか。

保阪　1964年の東京オリンピックでは、勝者の喜びよりも敗者の涙に共感したのを覚えています。今回のメディアの騒ぎ方は、誰にとってもほとんど予想通りだったと思いますね。

東京オリンピックは、ご存じのように3回目です。ヒトラーがドイツ国家の大宣伝に成功したベルリン大会に続く1940年が1回目。しかしこれは返上しました。帝国主義の満州政策、日中戦争によって国際社会の中で孤立化し、オリンピックを辞退せざるを得なかったのですから、勝者・敗者という言い方を使えば、当時の日本は明らかに敗者でした。

逆に2回目、1964年は戦後復興、高度成長、日本国憲法を軸にした日本の国際的な地位を示す大会でした。日本が成功体験を世界に知らしめたという意味では、勝者と言えます。

3回目はどうだったか。コロナをきちんと抑えていない、大会を開くことに何の説得力もない、観客もいないというオリンピックでした。私の目には、それが新自由主義的な日本の敗北の姿に映ったのです。

ベルリン五輪(1936年)開会式に登場したアドルフ・ヒトラー総統。後方は聖火台

さらに日本の敗北だけでなく、近代オリンピックそのものが終末期を迎えていると感じました。今日に続く近代オリンピックは、フランスの教育学者ピエール・ド・クーベルタンが提唱し、1896年のアテネ大会に始まっ

たものです。創設から120年以上が過ぎて、ある種の耐用年数を超えたところに来ているのではないか、衰退に向かっていて、今日のようなかたちのオリンピックは早晩なくなるのではないかと思ったのです。

なぜ衰退するかというと、スポーツがイベントとして「経済の枠組」、つまり金儲けの対象になっているから。もう一つは、スポーツで肉体の限界に挑むことに対する人間のロマンチシズムがかつてとは変わってきているという点。つまり、ドーピング問題にしても、有害薬物を服用するなど非人間的な行為によって記録を伸ばすということが平気で行われている。そうして出された人工的な記録に何の意味があるのだろうかと疑念を持たざるを得ません。

三つ目は、21世紀の価値観は20世紀の価値観とは異なってきているという点です。新しく変わっていく価値観に、オリンピックが持っている古い価値観は対応できないのではないかと思います。たとえば、大会組織委員会会長だった森喜朗さんが「女性がたくさん入っている理事会は時間がかかります」といった女性蔑視発言で辞任しましたが、そもそもクーベルタンがいわゆる西欧帝国主義者、差別主義者で、女性選手の参加には反対していました。この点だけでも、近代オリンピックは今日の価値観と合わなくなっていると言えるでしょう。私は主にこの三つの理由によって、オリンピックは存続し得ないのではないかとおぼろげながら考えています。

池上さんは、オリンピックの普遍性、永久性、持続性についてどう見ていますか。

池上　終焉を迎えつつあるということで言えば、もはやオリンピック招致に手を挙げる都市がなくなっている危機的状況です。この先二大会はあるでしょうが、そこでお終いかもしれない。その意味では保阪さんがおっしゃった通り、限界を迎えたのかな、耐用年数が来てしまったのかなという気がします。

ジェンダー、多様性——浮き彫りになった「非常識」

保阪　クーベルタンが持っていた差別主義がオリンピックそのものの精神と不可分なのではないか、という点はどうですか。表に出さないようにしてきたのでしょうが、オリンピックを問い詰めていくと、結局、ある種の矛盾が出てくる気がしてなりません。

池上　確かにクーベルタンは、ずっと男だけでやっていればいいと考えていました。ただし、オリンピック自体は女性が参加できる競技を増やすなど、多様化というかたちに変わってきたわけです。その意味では、背景に金儲けがあるとはいえ、矛盾を乗り越えようとしていると言えるでしょう。

日本について言えば、あえてポジティブに受け止めると、国際的なスタンダードからいかに日本社会が外れているのかが明らかになったという点を挙げていいと思います。オリンピックをきっかけにいかにジェンダーギャップが大きいか、多様性に欠けているかという問題が如実に表れたのではないでしょうか。

たとえば、あれだけの女性蔑視発言をして会長を降りた森さんを、名誉最高顧問で復活させようという動きがありました。一方で、トヨタは開会式にも出ない、オリンピック期間中に流すはずだった収録済みのコマーシャルも流さないとなった。背景には、国際的なスタンダードを逸脱している組織委員会に対する社長の豊田章男さんの怒りがあったそうです。つまり、日本社会のジェンダーや多様性をめぐる「分断」が顕在化したわけです。

とりわけ決定的だったのは、開会式ディレクターの「ユダヤ人大量惨殺ごっこ」の問題でした。芸人時代のネタの一部ですが、動画がネットで拡散し、それによって日本の人権意識が国際的なスタンダードではないということが顕在化しました。ユダヤ人虐殺がいかに国際的に許されないことか、今さら言うまでもありません。それが日本では全く問われてこなかったことが明らかになったわけです。

ディレクターの弁解は「極めて不謹慎な表現」「愚かな言葉選び間違い」というものでした。しかしこれは、国際的には不謹慎とか言葉選びとかでは済まない大問題です。そのおかげで、前財務大臣の麻生太郎さんの「ドイツのワイマール憲法は、ある日、気づいたらナチス憲法に変わっていた。あの手口を学んだらどうか」という過去の失言まで改めて話題になりました。

保阪　そもそもナチス憲法なんてありません。どうせ言うなら全権委任法でしょう。

池上　ナチスに学べばどうかなどと、政権の一翼を担っている人が言うこと自体、信じられないことです。こうした「非常識」がうやむやにされてきた日本社会のそもそもの問題点が明るみに出てしまった。あえて言えば、それが浮き彫りになったということで、東京オリンピックには意味があったと思います。

保阪　しかし、いい大人がホロコーストを笑いのネタにするというのは、基本的な常識が全くないということですね。

池上　常識がないだけではなく、「世界的に絶対許されることではないんだ」という意識がないのでしょう。たとえば、戦後のドイツにおいては、言論の自由はあるけれどもホロコーストがあった歴史を否定する自由はありません。そこは国を挙げて徹底していて、ホロコーストやナチスを評価すると逮捕されたりします。つまり、言論の自由とは別の問題なんだということ。これは歴史の問題ではなく今の問題なんだという意識があるわけです。そういう意識が決定的に欠けていたと思います。

私たちの国は、なぜ「反省」できないのか

保阪　こういう問題が浮き彫りになった時には、私たちの国にいかにいろんな問題があるか、しかも国際社会の中で見れば、いかに恥ずかしいかたちで残っているか、それがあからさまにわかりますね。

池上　1995年に「ナチ『ガス室』はなかった」という記事を掲載した文藝春秋の月刊誌「マルコポーロ」が廃刊になりました。

保阪　日本の社会にも「ユダヤ人が作為的に全部、嘘を言っているんだ」と主張する妙なグループがありますからね。アウシュビッツに代表されるホロコーストに限らず、歴史修正主義者は自分たちに都合のいいことを言って、いろいろと歴史を改竄《かいざん》しようとします。たとえば、何でも「コミンテルンがやった」と言ったりして、歴史を目くらましに使い、政治的な動きに絡めていく。そういう動きに引っかかるような土台があるからこそ、ホロ

コーストを揶揄《やゆ》するような言説も見過ごされてしまうのでしょう。

つまり、私たちの国には何か決定的に欠けているものがあるわけです。私はそこに恐れを感じます。

日本に何が欠けているか。大きいのは「歴史的な誤り」、あるいは「歴史的な責め苦」について、国民的な合意を得ているると思えるようなかたちになっていないことだと思います。帝国主義の時代に日本が行った軍事的・政治的な侵略に象徴されるようなものに対して、民主主義社会にいる私たちは「反省」という言葉を口にしますが、そこに国民的な「自覚」があるのかというと、やはり足りないのではないでしょうか。

たとえば、私たちの国は日清戦争（1894〜95年）から始まって、ほぼ10年おきに戦争をしてきたのですが、「戦争は嫌だ」と話すお年寄りに、どういうところが嫌なのかと聞くと「子どもの頃に爆弾が落ちてきて、あんな怖い思いは二度と嫌だ」と答える。でも、B29がやって来て爆弾落としたのは1944年の終わりからです。

一方、中国では日清戦争以来、普通の人が食卓を囲んでいるところに日本兵が入って来てちゃぶ台をひっくり返すようなことが繰り返されてきました。つまり、子どもの頃に戦争を経験した日本のお年寄りでさえ、そういう「日常の戦争」を知らない。じつは、私たちの国にとって帝国主義的な戦争が持っている残虐さは、自分の空間にはなくて、他人事《ひとごと》になっているのです。だから反省に不可欠な自覚が足りない。それが基本的な問題としてあると思います。

その不足を補うには、日本の戦争がどういうかたちで行われたのか、当たり前の生活がいかに崩されたのかと、戦争の仕組み全体の中で考えていく姿勢にならなければいけない。それは何も政治や思想の問題ではありません。常識として捉えていけばいいだけのことです。それを政治や思想の話に持っていくから、いつまで経っても国民的な自覚が足りないままなのではないでしょうか。

私には、近代日本が選択してきた戦争のいろんな問題が、今も社会空間の中に根っことして残っているように思えるのです。

目に見えない「加害の歴史」

池上　「加害の証拠」と「被害の証拠」に関わる問題ですね。たとえば、ドイツ国内には、今もユダヤ人に対する「絶滅収容所」というのが残されています。アウシュビッツはポーランドですが、ドイツにも同様のものがある。つまり、ユダヤ人をこうやって絶滅させたという加害の証拠をドイツ国民は日常的に突き付けられているわけです。日本にはそれがありません。朝鮮半島や中国大陸にはありますが、日本国内には広島や長崎の被害の証拠しか残っていない。

あえて言えば、広島の大久野島でしょうか。今はウサギの島として知られていますが、あそこには毒ガスの製造工場がありました。もうほとんどの人は知らないと思いますが、私は昔、毒ガス工場で働いていて肺や気管をやられた人たちを取材したことがあります。

日本には加害の歴史があるのに、その証拠を日常的に目にすることができません。直《じか》に見聞きできる戦争体験は、結果的に空襲のほか、沖縄や広島、長崎という悲惨な被害の歴史だけになってしまった。だから、加害の歴史から逃れようがない状態で暮らしているドイツ国民の自覚とは、おのずと大きく異なってしまうのでしょう。

保阪　昔、ドイツで私と同世代のドイツ人男性と話をして驚いたことがあります。彼に「あなたのお母さんはとてもいい人だけど、ナチスの時代をどうやって生きたの？」と聞いてみた。すると「母は僕に『知らなかったんだ』と言う。でも私は知っていたと思う。母は知らなかったのではなく、『見たくなかった、知りたくなかった』のだろうと思っている」と答えたのです。

戦争が終わってすぐに、アメリカの占領軍はドイツ国民にユダヤ人虐殺の収容所を見るように強制しています。ナチスの残虐な仕業をよく見ろというわけです。「お母さんも見たの?」と聞くと「見た」と。「あなたに何か言った?」「言わない。でもある時、『あんな酷いことをしているとは知らなかった』と言っていた」とのことでした。

この話を聞いて、私は、ドイツ国民でも「知らなかった」ということを免罪符にしようとしているけれども、世代を超えて相当苦しんでいるということがよくわかりました。

日本にはそういう苦しみがありません。たとえば、広島の原爆ドームと平和記念資料館を見に行って、自分たちに引き寄せて考えた瞬間に、原子爆弾でこんな酷い思いをしたのか、こんな残虐なものをアメリカは投下したのかと、加害の意識が吹っ飛んで、被害の意識でしか戦争の歴史を見られなくなるのです。

私たちの国は被害の意識に身を置くことによって、結局は加害の意識を忘れて、それを考えないようにしている。そういうことが戦後何十年もずっと続いてきているのではないでしょうか。

その「罪」について、とりわけ私の世代、戦中に生まれて戦後の民主主義で育ってきた世代がきちんと語り残していけるのか、伝えていけるのかということが、間もなく生を終える年齢に差し掛かっているだけに、いよいよ正念場に来ていると思います。

一番酷かったのは、都市近郊の部隊

池上　中国大陸、あるいは東南アジアでいろんな酷いことをした日本兵たちがいましたが、日本に帰るとほとんど何も語りませんでした。酔っ払った時に「俺は中国でこれだけ人を殺してきたんだ」などと妻や子どもに話す人もいたそうですが、やはり家族にも言えないでしょう。結果的にそういう加害の証拠が継承されなかったということですね。

保阪　私は中国に行って日中戦争のいろんな戦地を訪ねたことがあります。それで日本へ帰って来て改めて考えたのは、あそこでAという部隊はかなり酷いことをやったけれども、その前後に行動していたBという部隊はそれほど酷いことをやらなかったという違いを生じさせた要因についてでした。部隊によって加害の程度がこんなにも違うのはなぜか、ものすごく興味を持って、関係者にも取材していろいろ調べたわけです。

結局、私なりの結論は三つの要因にたどり着きました。一つは「上官」の違いです。たとえば、ある上官は「お前ら家に帰ればおっかさんや妹、弟がいるだろう。ここでもおっかさんが朝早くから農作業をしているんだ。勝手に畑に入って取ってきちゃダメだぞ」と

南京城を総攻撃して光華門を占領、日章旗を振って万歳する兵士たち。一方で、南京事件が起きていた＝1937年12月

釘を刺す。「いくら戦争といっても、やっていいことと悪いことがある」と教える上官がいるわけです。一方で、「お前ら戦争だから何をやってもいい」と教える上官がいる。上官の教育によって部隊の行為は違っていました。

もう一つは「郷土」の違いです。陸軍の部隊は出身地域ごとに編成されたわけですが、純農村、本当の田舎の農村の部隊は酷いことをやっていません。『タテ社会の人間関係』（講談社新書）という古典的名著のある社会人類学の中根千枝も指摘していたことですが、たとえば、東北の純農村の青年はそんなに無茶なことはやらない。私も調べてそういう印象を持ちました。そして東京や大阪など、大都市の部隊も酷いことをやっていません。

一番無茶をやるのは都市の周辺の部隊です。都市化していく農村では、半分は農業、あとの半分は職工さんとして街で働いています。そういう地域の部隊は上官が変だと、兵士も変なことをやっていたのです。

そして、日中戦争の加害の程度は時期が経つほど酷くなりました。そこには2回、3回と召集された20代後半から30代の経験者が行くという違いがあった。これが三つ目の要因です。彼らは初めて召集された20歳の青年よりも酷いことをやるわけです。

二つ目の要因は、地域差別につながるような微妙な問題なので具体的には言いにくいのですが、日本の共同体が変容していく中で、特に都市周辺の農村の青年たちが部隊においてどのようにおかしくなったのかといったことは、政治や思想ではなく、きちんと調べる必要があるし、理解しておく必要があるでしょう。

なぜ純農村の青年と都会のど真ん中で育っている青年は無茶しないのか、都市化していく農村が危ないのはなぜなのか。おそらく西欧化していく流れの中で、日本社会にある従来の共同体のモラルが壊れていく過程で、ある段階から危なくなるのだとは思います。

ただこういうことを含めて、どういうふうに加害の証拠を継承していくか、年齢のこともあって、ますます切実に考えるようになりました。

「コロナ精神論」が示す知的レベルの瓦解

池上　昨年のオリンピックを見ていて、日本が戦争にのめり込んでいった様相とよく似ていると感じました。「安心・安全の大会を実現していく」などと当時首相の菅義偉さんが言うたび、「精神一到何事か成らざらん」と何が変わるのか、戦中のスローガン「撃ちてし止まん」と同じじゃないかと憂鬱になりました。

保阪　「コロナに打ち勝った証し」とか「安全・安心を最優先にする」とか、そういう言葉をお題目のように口にすることで、国民も実現可能と理解してくれると考えていたのでしょうね。でも、その実現可能性に根拠はあるのかというと何もない。なんとはなしに言葉だけで一つの空気を作っていくというのは、やはりとても危うい感じがしました。

池上　安全・安心と唱えてさえいれば、それが実現すると信じていられる。まさに「言霊信仰」でしょう。

保阪　それから、安倍さんも菅さんも意外に表現力に欠けている、つまり本をあまり読んでいない感じがしました。特に菅さんはボキャブラリーがほとんどない。ある枠の中でしか言葉を選んでいない印象でした。政治家で最低最悪なのは言葉だけが先行している人でしょう。安全・安心という言葉が持っている内容を具体的に説明することができなかった菅さんというのは、その典型だと思いましたね。

池上　菅さんは自民党の総裁選の時、愛読書にマキアヴェッリの『君主論』を挙げました。政治家がマキアヴェッリを読むと言ったらどんな政治家と思われるかということがわかっていないわけです。少し本を読んでいたら、「国家の利益のためなら、どんな非道徳的なことでもする強権政治家と思われてしまう」という常識くらいは持っているはずです。

保阪　マキアヴェッリと言えば、なにがしか知的と思われるとでも考えたのでしょうか。だとしたら、いかにも安易ですよ。

池上　うんと好意的に見れば、マキアヴェッリ好きをアピールすることで、ものすごく恐ろしい政治家だとみんなにわからせようとした。あえて出したのかもしれませんが、あまりにもさらっと愛読書に挙げたので、やはり違うでしょうね。

保阪　安倍さんもあまり本を読んでいないと思います。常識問題のレベルでかなり理解していなかった印象です。政治家の揚げ足を取ってもしょうがないとも思いますが、麻生さんもそうでした。ただ、常識がないとか漢字が読めないといった問題は、政治家に限らず、社会で一般化しているのではないでしょうか。私たちの国の知的レベルが瓦解している、常識というものが崩れてきているという、何か恐ろしさを感じます。

新聞・テレビの退潮を「トヨタイムズ」に見る

保阪　池上さんが先ほど紹介したオリンピックでCMを流さなかったトヨタに興味があります。

豊田社長は「トヨタイムズ」といういわばメディアを作りました。あんなふうに、既存のマスコミを信用できないお金がある人は、これからは自分でメディアを作っていくのかもしれない。なぜ彼は「トヨタイムズ」を作ったのでしょうか、ある種のマスコミ批判ですか。

池上　「トヨタイムズ」だけでなく、いろいろな企業がYouTubeやSNS、ウェブサイトで自ら発信しています。いわゆるオウンドメディアです。いちいちテレビや新聞でコマーシャルに高いお金を払うよりも、自分たちで作ったほうがいいじゃないかというマーケティング活動の一環です。「トヨタイムズ」も既存メディアに対する不信というよりも、単に自分たちで発信できるツールを得たかったのでしょう。

ただ「トヨタイムズ」で最初に衝撃だったのは、テレビ東京で将来を嘱望されていた男性アナウンサーが「トヨタイムズ」のリポーターに転身したこと。突然会社を辞めたと聞いてどうしたんだろうと思っていたのですが、テレ東のニュース番組「ワールドビジネスサテライト」を見ていたら、彼が「トヨタイムズ」のコマーシャルに出てきてリポートをしている。もう衝撃でしたね。私もテレ東の未来を背負って立つアナウンサーとかなり期待していたのですが。

転職エージェントを介して応募して、一般の受験者と同じように採用試験を受けて、広報部門の社員になったそうですが、どこまで誘われたのか、自分から売り込んだのか、そこはわかりません。ただ当然、オウンドメディアの可能性を考えたでしょう。テレビ朝日を退職した富川悠太アナウンサーも、その後トヨタ自動車に転職しました。彼はこれからも報道の現場に立ちたいと明言しています。「トヨタイムズ」のようなオウンドメディアで直接お客さんと触れ合っていくという動きは、今後も広がっていくと思います。新聞やテレビにとっては大変です。

保阪　有為な人員が引っこ抜かれたらたまりませんね。

池上 ジャパネットたかたは独自のBSチャンネルを作りました。九州各局の民放アナウンサーが、ここに転職しているそうです。人員だけじゃないですよ。コマーシャルを流す必要がなくなったら、新聞やテレビに出していた広告費がいらなくなります。企業がそのお金を自分のメディアの育成に使うようになったら、新聞やテレビの経営は成り立たなくなっていくでしょう。

日本の同性婚事情と戦争観

池上 ジェンダーや多様性など、国際的なスタンダードから見て、今の日本はものすごくズレていると先ほど言いました。もう一つ、わかりやすい事例を挙げておきましょう。それは同性婚です。

アメリカでは、すでに2015年に連邦最高裁が「同性婚を禁じた州法は違憲」という判決を下していて、全米で同性婚が認められています。ヨーロッパでは2001年にオランダが合法化して以降、各国が次々と同性婚を認めています。たとえば、15年に同性婚を合法化したルクセンブルクでは、早速グザヴィエ・ベッテル首相が晴れて同性のパートナーと結婚して話題になりました。ドイツも17年には同性婚を合法化していますが、それでもヨーロッパで15カ国目と遅いほうだったのです。

そういう国際社会の中で、日本は同性婚を認めるどころか、ＬＧＢＴに対する差別を禁止する法律ですら国会に提出できなかったわけです。この違いは驚くほど大きい。

また、もう25年も懸案になっている選択的夫婦別姓を認める民法改正法案さえ国会で審議できていません。これは「夫婦別姓にしろ」というのではなく、「別姓にしたい人はどうぞ。そうじゃない人はこれまで通りでいいですよ」というものです。国際的には「日本のみ」と言われ、国連から繰り返し勧告を受けているにもかかわらず、審議できていない。こうした日本の政治・社会状況は、やはり国際的なスタンダードから相当外れていると言わざるを得ません。

保阪　そのズレはどこから来ているのか。私の仮説は「近代というものに対する受け入れ方がかなり日本独自のもので、そこに基本的な問題がある」というものです。私はずっと歴史に興味を持って調べてきましたが、特に「戦争観」に関わる事柄から、それが説明できるのではないかと思っています。
私たちの国は江戸時代の２７０年、対外戦争を1回もしていません。最後には薩摩や長州がフランスやイギリスと小競り合いをしましたが、基本的には対外戦争はなかった。これは、私たちの国における「戦争の概念」を相当鈍感なものにしたと思います。

たとえば、江戸の庶民は南北朝時代の『太平記』などを単なる「憂さ晴らし」として読んだでしょう。それは為政者も同様で、戦争はずっと呑気な昔話だったはずです。

明治時代に日清戦争、日露戦争を経験しますが、そこにあった主な戦争観は、賠償金を目的にした「ビジネス」でしかなかったと思います。

その後世界では、1914年に第一次世界大戦が始まって18年に終わった。第二次世界大戦は39年に始まって45年に終わった。21年間の戦間期があるので二つの大戦は分断しているように思いがちですが、やはり第一次と第二次の大戦は連結しています。たとえば、ドイツは戦争で失ったものを戦争で取り返そうと、第一次大戦の復讐戦を始めたわけです。14年から45年までの31年間を一つの連結した歴史として見ることで、初めて国際的な20世紀の戦争の枠組みを理解することができるでしょう。

日本は、第一次世界大戦ではドイツなどの同盟国に勝った連合国の一員でした。第二次世界大戦ではアメリカなどの連合国に負けた枢軸国の一員でした。つまり、日本は31年間、ねじれの中にいたわけです。この状態はドイツやアメリカなど主要国と決定的に異なっています。

つまり、江戸時代の270年と20世紀の第一次・第二次世界大戦が私たちの国における戦争観、戦争の概念というものに大きく影響していて、独特なものにしているのではないでしょうか。その二つの時間帯に何か相互の関連性があって、それが近代というものに対する受け入れ方の精神的な土台にもなっている。これから考えを深めていきたい仮説ですが、国際的なスタンダードとのズレのおおもとは、その辺にあると思います。

池上　同性婚やLGBTの法律についても、江戸時代の精神的な土台から解きほぐしていかないと制定できないということであれば、相当根深い問題と言えますね。日本で最近見えてきた国際的なズレが、何か大きな問題につながる「予兆」でなければいいのですが。

第2章　時代転換の「芽」

東京の街を颯爽と歩く「モガ」と「モボ」

世界的に民主主義の危機が叫ばれている。日本では大正デモクラシーの時代に昭和の軍国主義の芽があった。この令和にどんな芽が隠されているのか。私たちの民主主義はどこへ向かうのか。天皇制、共産主義、鬼滅の刃、YouTube、忖度……歴史のアナロジーを探る。

大正デモクラシーが起きた三つの理由──ロシア革命、大学生、天皇の「不在」

池上　前章で保阪さんは「第一次大戦が始まった1914年から第二次大戦が終わった1945年までの31年間は連結している」とおっしゃった。たとえば、日本では戦間期に「大正デモクラシー」と呼ばれる自由主義的な空気がありました。「歴史の潮目」という視点で言うと、その大正デモクラシーの時代の中に、すでに軍国主義の昭和へと突き進む何か予兆があったはずですね。

保阪　大正デモクラシーは年譜の上でよく使われる言葉ですが、大正の15年間が全部そうだったかというと必ずしもそうではありません。ただ、他の時代よりも自由主義的な動きが多かったことは確かです。

なぜ大正時代の日本はそうなったのか。三つほど理由が挙がると思います。一つはロシア革命で社会主義が現実のものになったこと。労働者と兵士が蜂起した1917（大正6）年の「二月革命」で帝政（ツァーリズム）が打倒され、同年の「十月革命」で社会主義勢力のボリシェビキが政権を獲得し、内戦を経て1922（大正11）年、ソビエト連邦の樹立が国際的に宣言されました。つまり、社会主義の成功です。

それまで社会主義は理論に過ぎなかった。でもロシア革命で、世界中がそれを現実にできると知ったわけです。日本の知的階層も大きな衝撃を受けて、共産主義思想が上流階級を含めて広がっていきました。

二つ目は1918（大正7）年に第一次世界大戦が終わった後、日本社会の中で世代や思想、経済、生活など様々な「入れ替わり」があったこと。たとえば、大正7年に原敬内閣で「大学令」が公布されます。それまで大学を名乗れるのは、東京帝大や京都帝大など5校（その後、外地2校などを含めて9校になる）の帝国大学に限られていたのが、私立や公立、単科の高等教育機関も大学を名乗ってよいとなったのです。この大学令以降、大学生が極端に増えました。

当然、多くの大学生が毎年卒業するわけですが、ちょうど第一次世界大戦の影響による経済好況と相まって、企業が定期的に大学生を採用するようになった。それでいわゆる新中間層、つまり「サラリーマン階層」ができてきます。この人たちは大学教育を受けているだけあって知的関心が高い。書籍や雑誌に対するニーズが高いので、たくさんの出版社が創業します。

思想の右と左が相対するようになるのもこの時期です。大正7年に共産主義者、アナーキストたちと大川周明、北一輝などが大同団結した「老壮会」という結社ができるなど、それまでは左右の違いは曖昧でした。けれども大正11年に「老壮会」が解散し、このあたりから右翼・左翼の思想の違いが明確になっていきます。

明治維新の時に活躍した主要人物たちもこの頃までにほとんど亡くなりました。政治における世代の入れ替わりです。そのおかげもあって、官軍出身ではない原敬のような政党政治家が、元老の山県有朋などとうまく話をつけながら日本を動かすだけの政治的な力量を持ちました。そういう新しいタイプの政治家が誕生したのもこの時期です。ただ、原敬は現職の首相だった大正10年に右翼と思われる国鉄職員に暗殺されてしまいました。ちなみに山県は翌11年に83歳で亡くなっています。

三つ目の理由は天皇制にあると思います。大正10年に天皇は体が弱いということで、20

歳の皇太子が摂政になりました。のちの昭和天皇ですね。そうすると大正10年から15年の5年間は、天皇が実質的に政務をとらず、実際にとるのは摂政ということで、「天皇がいるのに天皇がいない」という奇妙な時代と言えます。つまりこの時期、天皇制に空虚な空間ができていたわけです。

その異様さは、軍の活動に象徴的に表れました。軍はその5年間、ただの一回も兵隊を動かしていません。なぜなら兵を動かす権限は天皇しか持っていないからです。通常は「兵を動かします」と天皇に上奏して裁可の押印を求めます。ところが摂政は天皇という立場でしか判を押せるのか、皇太子という立場でしか判を押せないのか、それがはっきりしていなかった。だから天皇と同じようには摂政に対して裁可を求めるこ

海軍大佐正装の摂政時代の昭和天皇、24歳＝1925年10月31日

とができず、兵隊を動かすことができなかったのです。

これは、他の時代とは異なるかたちで軍にある種の縛りがかけられている状態であり、軍は焦慮に駆られていたはずです。大正12年に関東大震災が発生して戒厳令がしかれ、その混乱の中で起こった「甘粕事件」（憲兵による大杉栄、伊藤野枝ら3人の暗殺）や「亀戸事件」（騎兵による社会主義者10人の暗殺）は、そんなイライラの噴出にも思えます。一方で、それに対する反発として、同じ年の年末には「虎ノ門事件」、共産主義の思想に影響を受けた難波《なんば》大助による皇太子暗殺未遂事件なども起きています。

大正天皇が逝去し、新天皇が即位して昭和となり、軍に対する縛りのない通常の天皇がいる状態に戻ると、軍は早速、１９２７（昭和2）〜28（昭和3）年の「山東出兵」で3回も兵隊を動かしています。

こうした三つの理由、つまり、天皇がいるのに天皇がいないという空虚な状態、政治家の世代交代を含む新中間層の誕生など社会構造及び人材の入れ替わり、それからロシア革命によってもたらされた思想が現実になっていくというある種の希望が、大正デモクラシーの主な原動力であり、同時に昭和の軍国主義への予兆だったと思いますね。

昭和の軍国主義へ——芥川の「ぼんやりした不安」

保阪　大正時代の潮目的なものとして、もう二つ付け加えておきましょうか。

一つは芥川龍之介の「ぼんやりした不安」という言葉です。芥川は昭和2年に自殺してしまいますが、彼はいわば遺書である「或旧友へ送る手記」に自殺の動機を「何か僕の将来に対する唯ぼんやりした不安である」と書き残しました。

芥川龍之介氏の死
文壇の鬼才芥川龍之介氏は自邸で七月二十四日劇薬自殺を
遂げた【寫眞】ありし日の氏
Mr. Ryunosuke Akutagawa, the foremost writer and
novelist, died from self-poisoning on July 24.
衝撃を与えた芥川龍之介の服毒自殺＝「アサヒグラフに見る世相」より

ぼんやりした不安とは何か、というのは文学の議論でよく取り上げられるテーマです。でも、戦争のことを調べている私にとってもこの言葉はすごく興味深いものなんですね。

芥川は東大の英文科を出たあと、海軍機関学校で英語の講師になります。当時、その役は東大英文科を出た人が務めることになっていて、夏目漱石の紹介だったとも言われています。それで芥川も海軍の学校で教えたのですが、彼はある日、教室で生徒たちに「何で君たちは人殺しをするような学校にくるのか、考え違いをしているぞ、今日は君たちの顔を見たくない」と言って、横を向いて授業をした。生徒の一人が「先生、いくら何でも失礼じゃないですか」と問いただすと、「僕の言うことが失礼かどうか、君がいずれ大きくなったらわかるよ」と答えたそうです。

芥川は軍の暴力が大嫌いでした。当然、ロシア革命という社会主義革命が暴力でなされたことも知っている。先に紹介したように、大正時代後半には様々な暴力事件も起こっていた。そんな状況を見ていて、彼は間違いなくこれからの時代は右であれ左であれ、暴力が主になるだろうと考えたはずです。彼はその予兆によって「ぼんやりした不安」を持つようになったのではないでしょうか。私には、芥川は暴力が主になるような時代に生きていたくないと苦悩し、自殺したのではないかと思えるのです。

バカにされた軍人の恨み

保阪　もう一つは、大正10年から15年の天皇がいるのにいない時期に、軍人は街中でバカにされていたということ。「お前ら人殺しだ」などと罵倒されるので、軍人がそうとわからないように背広を着て出勤していたくらいです。当然、軍人の中に屈辱感が残りますね。

陸軍士官学校や海軍兵学校を中退する人も続出しました。たとえば、秩父宮と同期の陸軍士官学校34期は350人ほど入学していますが、大正11年の卒業までに30～40人も辞めています。「軍人なんかになりたくない」というわけです。これは軍にとってショックですね。

当時、陸士や海兵に入るというのは決して名誉ではなかった。古い世代に話を聞くと、面白い言い方をしていました。「あの頃、一中から軍に行く人はほとんどいなくなったんだよ、みんな一中から一高だ」と。戦前、各地の優等生は都道府県に一つしかない「第一中学」に入りましたが、みんな軍の学校を嫌って、ナンバースクールから帝国大学を目指して官僚になるというわけです。

私は大正時代の軍人にもたくさん話を聞いていますが、幼年学校でも士官学校でも「一般の人と話しちゃダメだ」、それから「文学作品は読むな」と言われたそうです。彼らが受けた教育は明治時代から続いています。その意味でも、やはり大正時代は明治時代と連結しているんですね。

当時は、各県が必ず東京に一軒家を持っていました。そこにいつでも秋田県なら秋田出身の学生が集まって、みんなで飯を食って、故郷訛《なま》りで話をして騒いで、また下宿や寮に帰っていくという習慣があった。そうやってお互いに故郷を思い出しながら意識を共有するわけです。

ただし、士官学校の生徒は「行っちゃいけない」と言われていたそうです。けれども、日曜になるとこっそり出身地の一軒家に出入りしていた。そこで一般の学生と話すと「お前、なんでそんな人を殺す仕事の学校に行くんだ」とあからさまに責められる。あるいは「お前、この本を読んだか」と聞かれても、自分は何も読んでない、軍のことしか知らない。それで「お前、よくそんな軍の学校にいるな」と呆れられる。それが嫌でとうとう士官学校を辞めたという話を聞いたこともあります。

軍人がバカにされたという話を、私は昭和の軍人から聞いたことがありません。それは逆に言うと、大正時代は庶民の中にも、それまでとは違うリベラルな空気があったということを意味するでしょう。

このように大正時代後半には、軍が疎んじられたという極端な現象がいくつも見られます。軍人の屈辱感は相当なものだったはずです。それが昭和に入ると全部裏返しになって、極端な軍国主義の現象となって現れてくる。大正の末から昭和の初めの現象を連結して眺めると、社会構造そのものが異なっていく、まさに日本の近現代史の潮目を感じますね。

「モガ」「モボ」と江戸時代のままの農村

池上 大正時代は「モガ」「モボ」、つまり「モダンガール、モダンボーイ」と呼ばれる若者が出てきたり、昭和の初めにかけて円本ブームで安い文学全集がよく売れたりと、庶民にまで文化が行き渡り始めたという明るいイメージもありますね。

保阪 「都市遊民」とでも言えばいいでしょうか。大正時代には、地方から経済的にゆとりのある人たちが都市に「遊学」してくるようになった。その影響が現れ始めたわけです。やはりサラリーマン階層など、中産階級の誕生によって風俗的な消費が極端になっていく現象が起きるのでしょう。

それは昭和に入って明確になるのですが、中産階級が形成されることで、新宿や渋谷、池袋のターミナルができて一つの遊興都市、ターミナル文化というものを作っていきます。芥川の死と同じ昭和２（１９２７）年には浅草―上野間の地下鉄も開通しています。

ちなみに東京では、軍人はだいたい中央線沿線に住んでいて、階級によって最寄り駅が違っていました。偉いのはだいたい四ツ谷付近に住んでいて、佐官クラスになると信濃町や新宿、中野。それ以下になると高円寺とかなんですね。

一方で、農村では労働力が都市に吸い取られていくということが起こっていくわけです。昭和4年に農村社会学者の鈴木栄太郎が行った全国の農村調査があって、「農村の6〜7割は江戸時代とまだ同じだ」などと報告しています。鈴木によると、高円寺村、荻窪村、吉祥寺村といった都市に近い農村は都市化しているが、多くの地方の純農村は江戸時代的である。江戸時代的というのは、生まれてから死ぬまでが完結している社会。凶作などがあるとそれはガラッと崩れてしまうけれども、基本的には一生が保障された社会になっている。農村にいる限りは都市のようにいろんな文化などは享受できないが、とにかく生きて死んでいくことができる社会です。しかし、農機具と肥料の発達が、皮肉なことに農村全体を貧しくします。やがて貧富の差が広がり、大部分の農家は貧乏になる。娘を「身売り」させるような状況に瀕します。そんな農村の疲弊が、後の「2・26事件」の遠因になっていきました。

基本的に大正時代の農村は、都市とは異なる古い体質を抱えた共同体だったということでしょうね。

『鬼滅の刃』は大正時代が舞台だからこそ大ヒットした

池上　お聞きして考えたことが二つあります。一つは先に少し出た1940年の東京オリンピックです。日中戦争の拡大によって返上しましたが、東京で大会を開くことが決まったのは1936年、ベルリンオリンピックの時でした。最大のテーマは、関東大震災からの復興を遂げた帝都を見てもらいたいというものでした。今回の東京オリンピック、そもそもは東日本大震災からの復興がテーマでした。まさにダブります、何か理屈をつけて招致するというところが。結局はどちらもうまくいかず、狙い通りの大会にならなかった。保阪さんの言葉を借りると、どちらも「敗北」です。同じような構造が見えてきますね。

もう一つはマンガ『鬼滅の刃』（吾峠《ごとうげ》呼世晴《こよはる》作、集英社刊）の大流行です。親を鬼に殺され妹を鬼にされた少年が、妹を人間へ戻そうと鬼と戦う物語。舞台は大正時代なんですね。今の時代がなんとなく大正時代とダブるからあんなに流行ったという気がします。

大正時代を舞台にしたマンガがヒットしたことをどう解釈するか。難しい問題ですが、大正時代は明治ほど昔ではない、でも昭和よりは昔の日本で、ちょうどいい設定だったと思います。あの頃なら鬼も鬼狩りをする人間もいたかもしれない。そんなふうに思わせる効果が大正時代にはあるのではないでしょうか。

保阪　『鬼滅の刃』の作者は1989年生まれの女性だそうですね。民俗学が趣味なので

関東大震災で焼け野原となった東京・京橋区一帯。南伝馬町（現在の京橋）交差点から八丁堀方向を見る。右の建物は第一相互館＝1923年９月

しょうか、鬼は民俗学のテーマの一つですから。

池上　それはわかりません。ただ作者は、「鬼滅」以前に鬼退治をテーマにしたマンガを描いて評価を受けていました。舞台は明治から大正にかけてで、海外からやってきた吸血鬼と日本古来の鬼、和洋の鬼が両方出てくる、新人賞に応募した２０１３年の作品です。私たちは今、海外からとんでもないものがやってきて大変な思いをしているじゃないですか。それを踏まえると「鬼滅は未来を予言した」という解釈もできそうです。

関東大震災の時には「船頭小唄」が流行歌になりました。「俺は河原の枯れすすき～」ですね。ものすごく退嬰的《たいえい》というか、どうせダメな二人だから世間の片隅で暮らすしかないという生きる見込みがないような歌です。これは関東大震災の少し前に発売されています。それで大流行している最中に地震が起きて、まさに「関東大震災を予言した歌じゃないか」と

いったことが言われました。

「船頭小唄」と似た現象で言うと、時代は昭和の半ば過ぎまで下りますが、「60年安保」の反対運動が潰れてしまった後、西田佐知子の「アカシアの雨がやむとき」が流行しました。「このまま死んでしまいたい」という歌詞が当時の学生運動に挫折した若者の心情にぴったり合ったわけです。

このように様々な出来事と大衆芸能の関係のように、いろんな思いが相まって歴史が動いていくのではないか。保阪さんの話を聞いていて、そんなことを考えていました。

民主主義、大震災、メディア——大正・令和の相似性

保阪　人によっては大正時代のことを「歴史の踊り場」と表現します。その意味でも、日本社会が進んできた方向をもう一回見直す、あるいはこれから日本社会が進む方向、どこへ行くんだろうと考える際のいろんな視点がそこに成り立つと思います。

たとえば、私たちの国の「民主主義のこれから」を考える時には、大正デモクラシーの思想、つまり、吉野作造の思想が視点の一つになるのではないでしょうか。

吉野作造は民主主義という言葉を使いたかった。けれども当時、民主主義は官憲がある

意味最も嫌う言葉だった。それで「民本主義」という一歩引いたような言葉をわざと使ったとも言われています。

池上　民主主義と言うと、私たち一般国民が主権者だという意味になります。つまり、民が主、メインの政治体制になるわけです。でも大日本帝国憲法においては、そもそも天皇が一番の主権者、主、メインだとなっている。そこに配慮して民本とした。要するに民本主義にしておけば、主権者は天皇でしょうがないけれども、人々の意見を中心にすべきだ、一般の人々の意見を反映する政治体制が必要だという意味になるわけです。

大正時代のリベラルという話で言うと、たとえば「萬朝報《よろずちょうほう》」という新聞がありました。スキャンダル記事も相当ありましたが、結構リベラルで、そこそこ売れていた。最終的には、関東大震災の影響もあって潰れていきましたが、リベラルな人たちが活躍できていたということを考えると、時代の空気を象徴するものだと思うのですが。

保阪　萬朝報は1892（明治25）年の創刊です。日露戦争の頃まで内村鑑三や幸徳秋水が先鋭的なことを書いていましたが、創業者の黒岩涙香が開戦論に転じて、彼らは辞めてしまった。それでもかなりレベルの高い意見を出していて、長く世論を引っ張っていました。

大正10年前後に出版社がたくさんできて、大正14年にラジオ放送が始まった。それまでは完全に新聞。大正時代のメディアと言えば新聞が主だったのです。

日本の新聞は、ずっと芸者さんが滑った転んだといった軟派記事を掲載する「小《こ》新聞」と、硬派な政論記事を掲載する「大《おお》新聞」に分かれていました。それが大正の頃から両方を載せるようになって、いわば総合新聞になっていきます。たとえば、大阪で創刊された「朝日新聞」は小新聞でしたが、明治21年に東京に進出して政論も書くようになっていった。「毎日新聞」（東京日日新聞、大阪毎日新聞）は大新聞でしたが、軟派な記事も載せるようになっていった。それで新聞が今日のような商品として席巻するようになっていくわけです。

ただ新聞については、「萬朝報」が日露開戦論で部数を大幅に伸ばしたように、戦争と一体化して部数を伸ばしていくという重要な問題もありますね。

池上　そういう意味で言うと、安易なアナロジー（類比）はいけないけれども、大正の終わりから昭和の初めと平成の終わりから令和の初めは似ていると思います。前者は関東大震災が起きて、メディアの主役も変わっていき、いわば軍国主義に大きく動き出しました。後者は東日本大震災以降、新聞は言うに及ばず、テレビも急激に力を失っています。今、若者たちはテレビを見ない。ＹｏｕＴｕｂｅ、あるいはインスタグラムを見ている。そしてコロナ禍、気候変動、米中対立、ロシアのウクライナ侵攻などによって、世界も日本もこれまでとは全く違う方向に動いてもおかしくない状況です。これは同じような現象でしょう。

大正時代が舞台の『鬼滅の刃』が流行ったのも、そこから現在、あるいはこれから先の令和のアナロジーができるからかもしれません。

テレビからＹｏｕＴｕｂｅへ——その時「倫理」は？

保阪　ちょっと余談になりますが、せっかくメディアの話が出たので、ぜひ池上さんに聞いておきたい。現実問題として、テレビの視聴率はやはり全体的に落ちているんですか。

池上　とてつもなく落ちています。私の学生時代は世帯視聴率が20％を超えてようやく高視聴率と言われました。それが私がフリーランスになった17年前、ゴールデンアワーで視聴率15％を取ると「高視聴率だね」とお祝いの電話がかかってくるようになった。今は12％を取ろうものなら「すごいね」と言われます。

だいたい10％もいきません。ゴールデンアワーに世帯視聴率で二桁取ると「おお、高い視聴率だったね」と言われる状態です。さらには世帯視聴率がもう全く使いものにならなくなりました。今は個人視聴率です。それも注目しているのは若い人たち、20代から40代の視聴率がどうなのか。6〜8％取れれば「とてもよかったよね」。そんな状態になってきています。直近のNHKの放送文化研究所の世論調査でも、若い人たちはテレビに全く接触していないことが明らかになっている。夜8時はYouTubeに「全員集合」しています。

保阪　テレビからYouTubeに関心が流れているということですか。

池上　そうです。お茶の間で家族揃ってみんなでテレビを見る習慣はありません。みんなそれぞれの部屋にこもって、パソコンないしスマホで、特にスマホでYouTubeを見ている。人気ユーチューバーは毎日夜8時に動画をアップするんですよ。夜8時は伝統的にはゴールデンアワーでテレビの前に座るものでした。今、若い人たちは好きなユーチューバー、ヒカキンやはじめしゃちょーの新しい動画を見ようと、部屋にこもってスマホを手にYouTubeを見るという状況になっています。

保阪　テレビや新聞、ラジオにせよ、情報の送り手側にはメディアとしての使命感なり社会的な約束事、ルールなりが一応出来上がっていて、いわゆる倫理を守ろうとしています。

ＹｏｕＴｕｂｅはどうでしょうか。倫理は確立しているんですか。

池上　今はその過渡期です。時折とんでもないのが出て、袋叩きにあうというかたちで自然と「これは言っちゃいけないよね」というルールが形成される、まさにその途中。たとえば、少し前ですがメンタリストＤａｉＧｏが「ホームレスの命はどうでもいい。正直、邪魔だし、プラスにならない」などと配信して大問題になりました。

ＹｏｕＴｕｂｅはＧｏｏｇｌｅの子会社ですが、たとえば、裸やセックス絡みの動画はダメなんです。これはアップした途端に、ＡＩがＹｏｕＴｕｂｅの配信コード違反を見つけて即座に削除します。ＡＩの削除を逃れる動画でも、ＤａｉＧｏのような差別発言があると炎上するので淘汰《とうた》されつつある。ＹｏｕＴｕｂｅの配信倫理の確立は過渡期ですね。

保阪　いろんな国でみんな勝手に配信しているんですか。

池上　中国は勝手なことはできませんが、欧米は自由にやっています。

保阪　ひどいことはダメになっていくとして、それは常識の線で淘汰されるということでしょうか。

池上　ＹｏｕＴｕｂｅの会社としても、明らかにセックス絡みやとんでもないフェイクは削除するのですが、たとえば、ワクチンをめぐる安全性や危険性に関して「陰謀論」を配信するとものすごく見てもらえて、広告収入で金儲けができるわけです。それがとても増えていますね。アメリカで言うと、ロバート・ケネディ・ジュニアがその代表格です。ロバート司法長官の息子ですね。ケネディという名前はアメリカではブランドですが、それを利用して「ワクチンは危険だ、接種しちゃいけない」という陰謀論を広めていた。問題になっていましたね。

保阪　ロバートの別の息子は海洋史の研究者で、日本の特攻隊をテーマにした単行本（『特攻 空母バンカーヒルと二人のカミカゼ―米軍兵士が見た沖縄特攻戦の真実』（マクスウェル・テイラー・ケネディ著、ハート出版刊）も出しています。日本に来てきちんと調べて書いたいい本ですが、兄弟でも大違いなんですね。

「搾取の中身」を具体的に知らなかった共産主義者

保阪　本題に戻りましょう。大正の終わりから昭和の初めには、治安維持法が1925（大正14）年に制定され、特高警察も28（昭和3）年に全国に拡大して、いわゆる赤化の取り締まりが本格化します。特高警察が前面に出てきたのは、結局、天皇制の国家の中で共産党が「天皇制打倒」を明らかにしてきたからです。

そもそも君主制と私有財産を否定する共産党は非合法の組織でした。ただ、天皇制打倒を受け入れるかどうかというのは、社会主義者の中でも分かれました。たとえば、第一次共産党の創立に参画した山川均は震え上がって第二次共産党には加わらなかった。

一方で、天皇側近の侍従の息子や宮内庁の高官の息子など、上流階級の子息が共産主義の思想に傾倒していきました。特権化している有産階級の彼らは、恵まれた生活をしていることに対する「罪の意識」を覚えて共産党に入っていった。特高が必死に共産主義を潰しにいくのも、ある意味当然でしょう。

日本の共産主義運動は労働者から広がったという面もありますが、基本的には理論から運動に入る知的な人たちが主導していくというかたちだったと思います。

池上　もちろん、共産主義運動は日本だけのものではありません。アジアではまず1921年にコミンテルンの中国支部ができた。これが中国共産党の創設です。その翌年の22年に日本支部ができるわけです。それが日本共産党です。中国では上海に13人が集まって中国支部を創立したのですが、みんな都市部のインテリです。労働者なんて全くいない。

共産主義は外来の思想です。まず影響を受けるのは、やはり上流階級のインテリでしょう。保阪さんがおっしゃったように、それを読んで恵まれた自分に対する罪の意識を持ち、世の中を変えなければいけないと感じて行動に移す。結局、こういう運動はインテリから始まるということですね。

そもそもレーニンの「外部注入論」だって、労働者階級はわかっていないから、共産主義に目覚めた前衛党が労働者に正しい知識を注入していくという発想です。どこの国でも共産主義は一部のインテリから始まったと考えていいと思います。

保阪 知的な人たちには共産主義理論が新鮮で、論理の整合性が取れていて納得できる思想だったということでしょう。肉体的に労働者が搾取されているということは、彼らには具体的にわからない。けれども、労働者階級の隷属状態や資本家階級による搾取の構造などを論理立ててきちんと説明している。知的な人たちはそんな論理の新鮮さに惹かれたのだと思います。そういう人たちが集まっているせいでしょう、日本の労農派の人たちの議論のレベルはすごく高い。しかし運動実態はどうなのかというと、また別問題なんですね。

池上 だからソ連でも中国でも、共産党は本来と全く違うことをして、成功していくわけです。

軍部の忖度とＮＨＫの忖度

保阪　昭和の初め、中国では国民党の蔣介石が中国全土を統一しようとします。国民政府軍が南の方から北へ上がっていく、いわゆる第三次北伐（１９２６年7月〜28年6月）です。蔣介石政権が北京政府を制圧しそうになると、日本はさしあたり妨害する。昭和２〜３年の山東出兵ですね。

つまり、蔣介石が意図している中国の統一を日本の軍が妨害するのが昭和の歴史の始まりで、言うことを聞かない満州軍閥の張作霖を関東軍が爆殺したりする（１９２８年6月、満洲某重大事件）。はっきり言って、「国家改造」というスローガンのもと、やることが急に血生臭くなるのが昭和という時代の軍人たちです。

なぜそうなったのか。当時軍人だった人に問うと、こんなふうに答えました。

「我々はまだ25〜26歳の天皇を一人前にしてやらなきゃいかんと思った。そのためには大善と小善がある。大善は、天皇はまだ歴史的意志を持っていないから我々が意志を忖度《そんたく》して歴史を作っていってやること。小善は、軍人勅諭の中に書いてあることだけを守ること。国家改造をやろうとしたのは大善だ。我々はみんな大善を意図して、天皇のためを思って、天皇を名天皇にしてやろうという思いから始まった」

こういう思いが国家改造運動の原点にあることは確かでしょう。しかしそれは「錯覚」だと思いますね。つまり、昭和の軍のいくつもの錯覚、それが昭和のそもそものスタートだったということが問題なのです。

昭和6年にはクーデターをやろうとします。いわゆる「3月事件」ですね。この陸軍の統制派の中堅幹部によるクーデター計画は皇道派などの反対で未遂に終わります。しかし、天皇を名天皇にしてやろうという大義を掲げながら自らの権益を拡大していこうとする、あるいは保身を図ろうとする軍の動きに、昭和は振り回されます。それが戦争、そして敗北という歴史の流れになっていくわけですね。

池上　「忖度をもとにした大義は錯覚である」、そして、それを「自らの権益拡大や保身につなげる」という保阪さんの指摘には、なるほどと思いました。これも安易なアナロジーになるかもしれませんが、テレビの現場で起きている問題を想起させますね。

安倍政権の時には、NHKのニュースキャスターだった国谷裕子さんや大越健介さん。その後、大越さんは「報道ステーション」のキャスターになりましたが、次の菅政権の時には有馬嘉男さん。それぞれ官邸から圧力があってNHKのキャスターが降ろされたと話題になりました。でも、じつは圧力じゃない、全て忖度なのです。首相や官房長官はじめ官邸の権力者が「あいつを外せ」などと要求してくることはありません。

ただし、キャスターが批判したことに関して「首相が怒っている」とNHKの政治部の記者が聞いてくるわけです。官邸のスタッフなどから「何やってんだ」などと文句を言われる。それを情報として局に上げる。すると上層部で「官邸が怒っている、どうしようか」という忖度が始まります。官邸に胡麻《ごま》をすろうとする人物がいて、忖度をして「外せ」となるわけです。

近年は、官邸のスタッフも「あいつを外せ、変えろ」なんて、そんな露骨でバカなことは言いません。だから「感想を言ったんだよ。NHKの人事権を持っている人が勝手に異動させただけでしょ」という話になってしまう。官邸の中もそうです。たとえば、大越さんが批判的にコメントすると安倍さんが「あんなことを言っている」とつぶやく。それを聞いたお付きの人が「なんとかしなければ」と忖度して、政治部の記者に文句を言うわけです。

こういう忖度の構造が問題なんですね。たとえば、「有馬さんを外した」と言われても「いや、栄転なんですよ」と言い訳できるように、ラインの上では出世のかたちを作って、花のパリ駐在のヨーロッパ総局副総局長に就かせる。まさに忖度そのものですよ。

虎の威を借る狐が出世する

保阪　昭和のことを調べていると忖度だらけです。軍の偉い連中で国家改造運動を起こしたりした将校は、まさに忖度だらけ。天皇の意志まで忖度して、最後には「自分に文句をつけることは天皇に文句をつけることだ」と言い放つ人たちまで出てくる。忖度が行き過ぎて、忖度でしかないのに相手がそう思っているんだと信じ込み、自分への反感は天皇への反感だと錯誤した言い方をするようになる。これは日本的な指導者の特徴と言えるかもしれません。

軍には、常識があってバランスも取れていて「軍事は政治の後をついていくものだ」と言っている良識の人材は何人もいました。でも、そういう軍人は「弱虫、天皇への忠誠が足りない」などと言われ、途中で蹴落とされて弾かれていく。そういう人が弾き飛ばされながら、日米開戦を告げる真珠湾攻撃の１９４１（昭和16）年12月８日になってしまうわけです。

忖度とわかっていればいいけれども、相手がそう思っていると信じてしまうと忖度を超えてしまいます。ただ、昭和10年代はそれをできる軍人が偉くなっていく。天皇の威を借り、自らの存在を大きく見せることに熱心だった東条英機はその典型と言えるでしょうね。

ところで、池上さんご自身は忖度の標的になったことはないんですか。

池上　ありません。ただ、テレビ東京の選挙特番で厳しい質問をした結果、政治家が逃げ回るということはありました。特に安倍さんは逃げた。しかし、石破茂さんだけは私にどれだけ厳しいことを言われるとわかっていても、ちゃんと出てきました。全く逃げない。岸田文雄さんもひょこひょこと出てきて、逃げません。安倍さんは、忙しいからとテレビ朝日の私の番組には出てこなかったけれども、その時間に「笑っていいとも！」（フジテレビ）には出ていた人です。人間性の違いを感じますね。

テレビではないのですが、朝日新聞に「新聞ななめ読み」というコラムを月1回連載している時に、同紙の慰安婦報道問題について批判的な論調で書いたら「掲載できない」と言われた経験はあります。２０１４年のことです。担当者は「上が認めてくれないんですよ」と言うのですが、上が誰か、どう言っているかは不明確なまま。しかし、忖度でそういうことになったのは確かだったので、すごく問題だと思い、その場で私から連載の中止を申し入れました。

間もなく読者にも私にも「お詫び」があって、約半年後に連載を再開しましたが、結局、当時の社長が「これは厳しいなあ」と言った、そして、それを聞いた人が意を汲んで、掲載見送りという話になったようです。上が直接言わなくても物事を進める。本当に上がそう判断したかどうかはわからない。繰り返しになりますが、忖度というのはそういう構造です。だから非常に問題なんですね。ちなみに、コラム連載は21年3月まで続いてめでたく最終回を迎えました。

昭和天皇と平成の天皇の決定的違い――歪んだ天皇制の踊り場

池上　大正は昭和の階段への踊り場だった。それと同じように、平成は令和の階段の踊り場と言えるでしょうか。

保阪　平成は踊り場かどうか。当然ながらこれから令和がどうなるかでその見え方は変わるでしょう。ただ、こと天皇制に関しては、平成は踊り場ではなくて、平成の天皇は明治・大正・昭和の三代の天皇の枠組みを超えようとして超えたと考えています。その意味では、平成は踊り場ではなく、そこから本当の階段に入ったのかもしれない。大正時代だけでなく、近代に入る幕末、明治、そして大正、昭和の前期まで、じつは全部が歪んだ天皇制の踊り場だったという見方もできると思いますね。

つまり、伝統的な天皇の役割を「政治的な実権を持たない」というふうに位置付けると、幕末の孝明天皇から昭和天皇の前期まで、天皇は変な踊り場に紛れ込んでいたと言えるわけです。

その意味では、平成の天皇は名実ともに伝統的な役割に回帰した天皇です。だから平成の天皇の中には、父親の昭和天皇や曾祖父の明治天皇を、あえて言えば「批判」する気持ちがあるのではないでしょうか。「私は、ああいう天皇にはならない」という思いが強くあって、それは大日本帝国憲法の否定にまでつながると思います。

天皇は、明治天皇と（諱《いみな》の）睦仁天皇、大正天皇と嘉仁天皇、昭和天皇と裕仁天皇と、「公・私」に分けることができますね。そのため、天皇はその役割と個人との間に亀裂がないように帝王学を施されますが、どの天皇にも多少の齟齬《そご》があります。たとえば、明治天皇や昭和天皇が本当は戦争を望んでいなかったとか。ただ昭和天皇の場合、前期と後期では帝王学が大きく異なり、後期には相当な手直しが施されたわけですが、ある意味、後期のほうが公・私の齟齬に悩んだかもしれません。

その点、平成の天皇はどうか。平成の天皇の役割と明仁という天皇個人は一体化していたと思います。たとえば、２０１９（令和元）年４月の退位を控えた前年12月の誕生日の記者会見で、「平成が戦争のない時代として終わろうとしていることに、心から安堵しています」と感傷的になったのも、天皇としての主体性、自主性を貫いたという自負の表れだったのではないでしょうか。

池上　昭和天皇は大日本帝国憲法の下で天皇になりました。それが太平洋戦争の前と後で全く違うものになって、新憲法の下での天皇は政治的な権能を持たないと決まった。昭和天皇は当初、かなり戸惑いがあって「なんで自分が感想を言っちゃいけないんだ」などと不満をもらしていますね。

かたや現在の上皇陛下、平成の天皇は今の日本国憲法の下で初めて天皇になった人です。その自負、自覚というのはすごいものでしょう。１９８９（平成元）年１月、天皇に即位した時に「日本国憲法及び皇室典範の定めるところにより、ここに、皇位を継承しました」と言い、「日本国憲法を守り、これに従って責務を果たす」と誓って以来、折に触れて「日本国憲法に基づいて」という言い方をしています。

あくまで日本国憲法に書いてあるからそう言っているだけとも言えますが、安倍政権の時には、明らかに安倍さんに対する「当てつけ」になっていたと思います。どうしたって

サイパン島のバンザイ・クリフで黙礼後の、平成の天皇・皇后（現上皇・上皇后）陛下＝2005年6月28日

「憲法を大事にしないといけないんですよ」というニュアンスがにじみ出るわけです。

保阪さんがおっしゃるように、昭和天皇が戦争の総括を十分に行っていなかった分、平成の天皇には「自分がやるんだ」という責任感があって、だからこそ、海外のいろいろな戦跡地に行っていたのだと思います。たとえば、サイパンのバンザイ・クリフを訪ね、皇后と一緒に深々とお辞儀をした。あの時にはそれだけでなく、さりげなく朝鮮半島出身者の慰霊碑にも立ち寄って礼拝をしています。あるいは海上保安庁の巡視船に泊まってまでパラオのペリリュー島に行きました。

そうすることで戦後処理を自分なりに終えることができたのだと思いますね。父親がやり残したことを自分はやるんだという強い思いがあったと感じます。

保阪　その思いを息子、今の天皇に継いでほしいという気持ちもあるでしょう。自分が身を引く時の19年4月のコメントにも、それは表れていると思います。

〈即位から30年、これまでの天皇としての務めを、国民への深い信頼と敬愛をもって行い得たことは、幸せなことでした。象徴としての私を受け入れ、支えてくれた国民に、心から感謝します。明日から始まる新しい令和の時代が、平和で実り多くあることを、皇后と共に心から願い、ここに我が国と世界の人々の安寧と幸せを祈ります〉

今の天皇はきちんと守っていると思いますが、その意味で言うと、天皇の努力、意図している時代との向き合い方について、私たちは謙虚に見ておかなければいけないでしょうね。それを見て、時代の約束事を作っていかなければいけないと思いますね。そうしないと、たとえば、首相が靖国神社へ行くという時。行くのは自由だけれども、天皇の意志を逆手に取りながら、天皇のためにやっているような言い方をした場合、それに対して「通用しないよ」と批判できないわけです。

「常識の目」で突き放さなければ、天皇制も民主主義も危ない

池上　平成の天皇が退位をする際、昭和天皇の最後を見ているという点が大きく影響したと思います。私は昭和天皇の最後の111日間、毎日宮内庁に詰めていたのですが、天皇が病に倒れた途端、そこら中が自粛、自粛になって日本経済がピタッと止まってしまいました。

平成の天皇はそれを見ているので、天皇が病に倒れて亡くなったりすると、大掛かりな自粛になり経済がすっかり止まってしまう。だけど退位した後に亡くなれば、日本経済に大きな影響を与えず、みんなに迷惑をかけないで済むと考えたのではないでしょうか。

高齢で天皇としての役目が果たせなくなるというのが退位の主な理由でしたが、そういう責任感もものすごくあって、退位を決められたと思います。

保阪　確かに社会の停滞状況について、かなり強い懸念を持っていたでしょうね。

池上　もちろん、日本国憲法の下では天皇は政治的権能を持たないので、昭和天皇が病気で倒れていても、大正時代のような支障、保阪さんの言葉を借りると「空虚な空間」ですが、そういう政治的な支障は何もなかった。たとえば、天皇が署名しなければ法律が公布

できないという時には、当時の皇太子、のちの平成の天皇が代理を務めましたが、何の問題も起きませんでした。皇太子が摂政にならなかったことも大きかったと思います。

ただ、昭和天皇が倒れた直後から自粛ブームがわーっと広がり、経済が停滞したことは明らかです。政治的権能はないけれども、自粛というかたちで経済に急ブレーキがかかったことは間違いありません。

保阪　昭和天皇が亡くなった時、いくつか頼まれて原稿を書きましたが、その時に思ったのは、昭和天皇については、戦争とそうでない時代とに分けて俯瞰《ふかん》像を作るとわかりやすいということです。

たとえば、戦後の発言の一つ一つを見ると、慎重に発言していることがよくわかります。在位60年の記念の時だったか、宮内記者会から「この間の一番の記憶」を聞かれて、しばらく間を置いて「やはり戦争だ」ということを答えました。

昭和天皇の心の中には戦争の傷、責任、重さがあって、いろいろな意味でじわじわと葛藤を続けながら、自分で整理していく、総括していくというかたちを歩んでいたと感じますね。だから靖国参拝には、1978（昭和53）年に14人のA級戦犯が合祀されたあと行かなくなった。行かないという強い意志は、天皇の中にある戦争についての考え方、反省がだんだん自分なりに熟していったからでしょう。

昭和天皇は責任という言葉は使っていないけれども、私たちは昭和天皇の持っていた矛盾を歴史的にきちんと読み解いて、その意志を見抜いて整理していく必要があるのではないでしょうか。

念のために断っておくと、「天皇の意志を見抜く」というのは、何も天皇の意志を忖度するという話ではありません。先にも言いましたが、陸軍では昭和10年代、意見が対立した時に「お前は天皇の意志に反している」と最初に忖度を持ち出した軍人が勝ちました。たとえば、東条英機は地方からかつての部下が東京出張で陸軍省に来ると、「お前、皇居に行って記帳してきたか」と尋ねる。普通はそんなことをしません。「まだです」と答えると、「馬鹿野郎、軍人は最初に皇居に行って記帳して、それから陸軍省に来るんだ」と怒鳴るわけです。そういう天皇の威を借りて声高に「原則論」を言うやつが偉くなるんですね。

組織というものの嫌らしいところだけれども、組織の中では何かにつけて原則的な人間が重宝がられます。私たちの社会でもそうです。今の政治家の中にも原則論ばかりを言う人がいますが、そういう政治家の話は非常に白ける。けれども日本社会では、周りを白けさせるような身の処し方が、ある種の保障になると知っているから、原則論に終始するのでしょう。

要するに、先ほどの天皇の意志を見抜くというのは、それを忖度という錯覚ではなく「歴史の目」、つまり政治や思想とは無関係の「常識の目」で突き放して見るという態度なのです。

池上　昨年の東京オリンピックでは、宮内庁長官の西村泰彦さんが定例の記者会見で、まさに天皇の意志を忖度してみせました。「国民の間で不安の声がある中で、ご自身が名誉総裁をおつとめになるオリンピック・パラリンピックの開催が感染拡大につながらないかご懸念されている、ご心配であると拝察をいたします。私としましては、感染が拡大するような事態にならないよう、組織委員会をはじめ関係機関が連携して感染防止に万全を期していただきたい」と言いましたね。

「天皇が懸念、心配していると拝察する」というのは相当まずい、忖度そのものの発言です。天皇には政治的権能がないし、政治的なことを発言してもいけません。けれども、天皇の考えを宮内庁長官が「私が勝手に推察しています」というかたちで代弁することで、国民はみんな「あー、天皇は心配しているんだ」と思ってしまうわけです。

これは今の民主主義の下ではとても危険なことです。ところが、本当なら真っ先に問題だと批判しなければいけないリベラルな人たちが「やっぱりオリンピックはやっちゃいけないよね、天皇もやっぱりそう思っているんだ」と変に安心したり同意したりしていた。今の日本社会にはこういう危うい構造があるのではないでしょうか。

保阪　全く同感ですね。あの発言が通用するようになると、宮内庁長官が忖度でものを言っていいことになる。かなり危険だと思います。一応、天皇との間で話をつけた上での発言なのでしょうが。

池上　宮内庁長官が「拝察をいたします」なんて、天皇の意向を無視して言えるわけがありません。あの時、記者たちはびっくりして「そのまま書いていいんですか」と聞きました。まさに忖度宣言ですから、わざわざ確認したわけです。すると西村さんは「どうぞ書いてください」と言い放った。天皇が自分の「政治的な思い」を国民に伝えたいと考え、宮内庁も国民もそれを良しとしているとしたら、ますます危険だなと感じました。

第3章　格差という「原動力」

選挙集会で演説するトランプ米大統領（当時）＝2020年12月5日、ジョージア州

資本主義下では、戦争が格差を縮小し、平和が続けば格差の拡大が続く。こうした残酷な事実に私たちはどう向き合うのか。
行き過ぎた経済競争は、アメリカでは「トランプ現象」をも引き起こした。労働運動が衰退し、保守化が進む中で、負の連鎖を断ち切ることはできるのか。

トランプ現象と「オピオイド中毒」

池上 この章では「格差問題」について保阪さんと一緒に議論していきます。まず、私から現代における経済格差の話をします。それを受けるかたちで、保阪さんに格差をテーマに歴史の話をしていただければと思います。

経済格差に関しては、世界の中にある格差と日本の中にある格差、両方の問題を見ておく必要があるでしょうね。たとえば世界では、一握りの人が世界の大半の富を持っています。２０１７年には「世界で最も裕福な8人と経済的に恵まれていない36億７５００万人の資産額がほぼ同じ」（ＮＧＯオックスファム）という驚くべき格差のデータが国際的に報告され、ダボス会議（世界経済フォーラム年次総会）でも議論されました。

アメリカで言えば、特にGAFA（Google、Apple、Facebook〈現Meta〉、Amazon）がとてつもない富を保有しています。そして大きな問題は、GAFAの規模がいくら大きくなっても雇用が増えないことです。さすがにアマゾンは実際の倉庫で商品を仕分けするという単純労働があるので、肉体労働者は増えています。ただ、だからと言って喜べない。単純労働の従業員は非正規雇用のような状態で、きちんとした所得があるわけではありません。それで一段と経済格差が広がっているわけです。

さらにアメリカの場合、東海岸の金融業界がとてつもない富を保有しています。特にフィンテックに代表される金融とテクノロジーの組み合わせで儲けているすごく高学歴の人たちがいます。

それで大きな経済格差が生じてきた。たとえば、アメリカでは近年、ごく普通の人たちが家を買うことも借りることもできないような状態が続いています。特に西海岸のシリコンバレーのあたりでは、金持ちが大勢いるから土地の値段が上がって、年収8万ドルでも住めないと言われています。

とてつもない経済格差に対する、とりわけ白人の肉体労働者の怒り、怨念が表れたのが2016年の「トランプ現象」でした。もちろん、ドナルド・トランプが大統領になれたのにはいくつか要因がありますが、やはりその層の熱狂的支持が大きかったと思います。

もう少し詳しく説明しておきましょう。１９８９年に東西冷戦が終わって世界経済がグローバル化しましたね。東西冷戦時代は社会主義国と資本主義国が全く別々の経済圏でした。社会主義国はコメコン（経済相互援助会議）体制。閉ざされた中で貿易が行われていて、資本主義国とは一切関係がなかった。しかし冷戦が終わると、社会主義だった東欧の国々が大挙して資本主義に合流します。ちょうどその頃、中国でも鄧小平による「改革開放」が一段と加速しました。

そうすると非常に安い労働力を資本主義国の企業が使えるようになるわけです。東欧の国々は社会主義の下で教育に力を入れていたので、人々の知的レベルが高い。しかし経済がまずかったから給料が安い。つまり、東欧の労働者は安い給料で雇うことができる良質な労働力です。だから西欧の様々な企業が東欧に進出していき、結果的に非常に安くて品質の良い製品がどんどん作られます。それがアメリカになだれ込みました。さらに中国の製品も大挙してアメリカになだれ込み、アメリカの製造業が衰退していきます。

また製鉄・鉄鋼で言えば、日本と韓国が質のいいものを作り、それによってアメリカの製鉄・鉄鋼産業が衰退した。あるいは自動車も、日本と韓国から安い自動車が入って来てコストで負けるアメリカの自動車産業はメキシコなど海外に工場を移転させます。

こうしてアメリカでは製造業の空洞化がどんどん進んでいきました。「俺が働いて家族を養うんだ」というマッチョな白人の肉体労働者にしてみると、働きたいのに働く場所がないという状況です。ある日を境に、全く仕事がなくなったわけです。

その結果、「オピオイド中毒」というのが問題化します。オピオイドは麻薬の成分が入った痛み止めの薬です。もともとは末期がん患者のために開発された薬で、全身の痛みで苦しんでいる時に飲むと痛みが和らぐのですが、麻薬だから中毒性がある。でも末期患者、余命数カ月だから問題ないだろうと、これが認可されました。

そのオピオイドに、仕事がなくてやる気を失ったうつ状態の労働者たちが手を出すようになります。麻薬は法律に違反しますが、オピオイドは承認されている薬です。麻薬の代わりにそれを乱用するわけです。製薬会社も医者も金儲け主義ですから、とにかく本人があちこち痛いというだけで薬を出す。オピオイド中毒は急激に増えていきました。

アメリカでは、毎年3万〜4万人がオピオイド中毒で死んでいます。たとえば、2019年に大谷翔平選手のチームメイトだったロサンゼルス・エンゼルスの有力投手が遠征中のホテルで急死しましたが、あれもオピオイド中毒でした。結果的に、アメリカの白人男性の平均寿命は今、毎年0・1歳ずつ短くなっているのです。

そういうやり切れない状況の中でトランプが出てきて、「お前たちのことは忘れない」とか「お前たちのことが好きだ」とか、盛んに叫びました。それでトランプを大挙して支持するというトランプ現象が起きたわけです。

小泉・竹中路線とアベノミクスの正体

池上 アメリカ以外の先進国においても、やはり同じように一握りの金持ちがますます金持ちになっていく、あるいは株を持っている人たちがどんどん金持ちになっていくという現象が起きています。

とりわけコロナ禍でそれが進んだと思います。景気対策をしなければと、どの国も金融緩和をしました。中央銀行がお金をじゃぶじゃぶと出し、そのお金を使って金持ちが株に投資する。本来、コロナの影響で生産やサービスが止まっているから不景気のはずなのに、株価だけは上がっていく。景気なんか関係ない。株をたくさん買える人ほど金持ちになれるという状況です。

日本においてもアベノミクスで金融緩和をした結果、株価が上がり、株を持っている人は資産を増やしました。一方、株を持っていない人は貧しいまま。また、「小泉・竹中路線」と一般的に言われる新自由主義的な取り組みによって、派遣労働者が非常に増えました。特に自動車産業など普通の製造業で派遣労働者が増えたことで、低賃金で働かされる人が増えて、ここでも経済格差が広がっていくという状態です。それが結局、教育格差にもつながっていくわけです。

とりわけ日本で問題なのは片親世帯の貧しさです。母親だけで子どもを育てようとしても、なかなか良い仕事がみつかりません。結局、低賃金の非正規労働しか働き口がないのが現状です。だから仕事を掛け持ちして必死になって子どもを育てていく。子どもの弁当を作ることができないほど忙しい、けれどもお金がない。コンビニのおにぎり一つ渡して「お昼はこれを食べてね」ということになっていて、いわゆる欠食児童も増えています。

日本には、見るに見かねた人たちが「子ども食堂」を作る動きが急激に広がっているという現実があるわけです。ただ今日、そういう貧しさが非常に見えにくくなっています。私の子どもの頃、60年くらい前は貧しい子どもたちは可視化されていました。たとえば、服に穴が空いていたり継ぎが当たっていたり、栄養が足りないものだからあおっぱなを垂らしていたりした。袖口で拭くからテカテカになっていました。今は安いファストファッションを着ているから小ぎれいなんですね。だから一見しただけでは、貧しいことが見えてこない。でも実際には、食事にも事欠くという経済格差が広がっているのです。

そして、そういう世帯の子どもは勉強もきちんと見てもらえない、上の学校にも進学できない。そうすると結果的に正規雇用では採用されず、親と同じ低賃金の非正規雇用でしか働けない。こうした負の連鎖が起きています。

アベノミクスの中で、日銀総裁の黒田東彦《はるひこ》さんは「消費者物価を2%上げるんだ」と、いわゆる黒田バズーカをぶっぱなしました。結局、ずっと上がらなかったのですが、21年秋から消費者物価が上がり始めています。ただし、「所得が増えるから物価が上がる」というのがアベノミクス、黒田バズーカの理屈でした。今は所得が増えないまま物の値段が高くなってきているのです。22年春からは、食料品はじめほとんど全ての分野で価格が上がっています。

こういう物価高が続くと、負の連鎖も含めて貧しい世帯の状況はますます深刻なものになっていきます。つまり今日、日本の経済格差はもはや深刻な状態になっているのではないか、ということですね。

そんな経済状態の中で、岸田さんは「新しい資本主義」を掲げ、「新自由主義的な政策から転換する」、「分厚い中間層を再構築する」などと言って首相になり、自民党の総裁として衆院選を戦いました。安倍元首相が率いる「清和会」系の新自由主義的なやり方では格差がどんどん広がるからそれを止めようと。これは池田勇人以来の「宏池会」の伝統で、これからは格差があまり広がらないようにしようというわけです。ただ果たして実現するかどうか、相当疑わしいと思いますね。

ちなみに21年10月の衆院選の前に、立憲民主党は9月にアベノミクスの検証結果を発表しました。あまりに遅過ぎると思いますが、「失敗だった」と総括したわけです。当時の代表、枝野幸男さんは「いわゆるトリクルダウンは全く起きなかった」という言い方で激しく批判しました。ただし、アベノミクスでは表向き「トリクルダウン」、滴り落ちるという言葉は使われていません。この言葉は批判する文脈において使われているのです。

トリクルダウンは「おこぼれ」という意味もありますから決していい言葉ではない。だからアベノミクスでは「頑張れば金持ちになることはできるんだ。いくら働いても税金で取られてしまうと、働こうというインセンティブが失われてしまう。だから所得税を減税して、頑張る人が報われる社会にしよう」というような言い方をしていました。

聞こえはいいのですが、それができない人たちは結局、金持ちのおこぼれがないと豊かになれない。結果的にアベノミクスは富の分配ができなかったのですから、トリクルダウンに失敗したと言ってもいいのかもしれませんが。

軍事と富の一体化によって生じた近代日本の格差

保阪　池上さんがおっしゃったように、世界の格差と日本の格差という二つの視点で19世紀後半から20世紀の歴史を見ていくと、まず世界の格差は、ある意味で平準化していく方向へ進んでいきます。ただ、国家の経済が構造的な苦境にあって対応をどうするかという時に、戦争に向かっていくという面がある。それはともかくとして、社会主義国はもちろん、資本主義国も基本的には富の平準化に向かう。それは労働組合運動が強くなっていくとか個人の権利の主張が強くなっていくとか、そういうことに影響されるわけです。

そういう世界の経済行動の中で、日本はどのような経済、あるいは労働のかたちを取ってきたのか。同じようなかたちで標準化に進んできたのか。

たとえば、日本で基本的に雇用が正式なかたちになっていくのは、先に「サラリーマン階層ができた」と述べた大正の中頃からです。それまでは雇用の関係は不明確でした。つまり、世界の先進国では19世紀終わりから20世紀初めに盛んに労働組合が結成されますが、日本には大正の中頃まで、その下地自体がなかったとも言えるでしょう。

もちろん、明治・大正のジャーナリストの横山源之助が『日本之下層社会』に書き残したように、東京の下町の貧民窟のような場所で暮らす貧しい階層の人たちの非人間的な酷い生活というのがあった。そういう現実自体はあったわけです。

私は、日本の格差の歴史を見る上で最も重要なのは、日本の資本主義体制がイギリスやフランスなどヨーロッパの先進の帝国主義化した資本主義のかたちとは全く違うかたちで作られたという点だと思っています。

日本は明治になって一気に帝国主義的になり、「軍事が富を再生産する」という考え方で国の政策が作られ、軍事が力を持っていきました。つまり軍事が企業化し、富を軍事が占有化し、軍事と富が一体化した。それで近代日本が作られていった。そのことが日本における軍事にはもちろん、格差にも大きく影響していると感じます。

日本は明治以降、軍事が主体になって富を生むという国家のかたちを作ってきたために、昭和の前期まで富の分配そのものが軍事を軸にしたかたちでした。要するに、軍事を支える序列によって富が分配されていく社会になっていたのです。

国家がどのような富の分配構造を持っているかは、その国の歴史そのものに関わる問題でしょう。つまり近代日本の、軍が国家的な利益を稼ぎ出し、それを分配するという構造によって、私たちの国の資本主義や軍事の進め方は世界の先進国のそれと違うかたちになっていったと思いますね。

たとえば、昭和前期までの大蔵大臣は軍事主体で富を獲得するからと、軍事を優先して分配しました。昭和初めには井上準之助や高橋是清のように、富の分配において国家財政の正常化や富の平準化を行おうとした大臣がいました。軍事に対して批判的な大蔵省の主計局の官僚たちもいましたが、基本的には反対はなかった。結果的に当時の格差は、軍事を中心とする分配構造の中にあるものだったわけです。

その意味では、先に紹介した『日本之下層社会』に登場するような職人や日雇いの人たちは、分配構造そのもの、格差そのものにさえ組み込まれていなかったという言い方もできると思います。

近代日本の富の獲得の仕方、富の分配の仕方は軍事主導体制であり、それが日本社会で格差を生む基本的な構造になっていた。そういうテーゼを立てながら歴史を見ていくと、その特異性の中に今日にも通じるような日本的な問題がいろいろ抱え込まれているということがわかってくるのではないでしょうか。

昭和前半まで世界でも特異な軍事主導の資本主義だった日本においては、他の先進国と同じような文脈で「格差が平準化していく方向へ進んだ」とはやはり言えないでしょうね。

「非正規の仕事で一生を終わる」

保阪　先ほど池上さんが紹介した「負の連鎖」についてとても関心があります。つまり、「格差の再生産」という問題です。経済格差や教育格差といったいろんな格差が連鎖、再生産されると、どんどん格差が固定化されていく。

たとえば、生活保護を受けている家庭の子どもは大人になって生活保護を受ける。一方、東大卒の親の子どもは東大に入るというふうに、今日、格差はある種、世代ごとに再生産されていますね。しかもその格差が固定化されている。そこから労働意欲の喪失とか社会的な不適応性とか、いろんな問題が出ていると思います。

そういう負の連鎖の中で起きている現象は、今よりもこれからもっと出てくるでしょう。その時に、日本社会のように新自由主義のような旗を振って進んでいたら、どうなるのか。格差が固定化して両極化した中で、格差の下のほうに組み込まれている人たちの不満が爆発して、ある種の社会不安、社会全体が不適応を起こす現象が生まれるのではないでしょうか。革命にはならないと思うけれども、そういう現実が出現してもおかしくないと思います。

ある人から「非正規の仕事を一生やったら、どう見たって月20万円くらいの金で一生を終わるんだよ」と聞いて驚いたことがありますが、そう言えば私も以前、ある私立大学の講師をやっていた時に、非常勤講師の控室でコンビニ弁当をいつも食べている30代後半の講師に出会っていました。

名のある国立の大学院を出て、中世の貨幣の流通史を研究している人です。ただ、中世の貨幣なんてマイナー過ぎて、どこの大学でも引き取ってくれない。彼は非常勤を4つも5つも抱え込んで走り回っていました。非常勤の報酬は1コマ月4万円ほどです。彼の話だと月収30万円もいかない。「生活、大変でしょう」と言うと、「結婚もできないし、オーバードクターの犠牲者ですよ、僕らは」という返事でした。国は「大学院を増やせ、学問の門を広げろ」などと調子のいいことを言いますが、それで大学院に行ったって、指導の教授は「就職は自分でやってね」と言うだけでしょう。結局、彼のように放り投げられてしまう。そういう格差も新しく生まれているわけです。

農地解放とマイホーム政策で保守化した

池上　日本は戦後、ＧＨＱ（連合国軍総司令部）の改革、農地解放や財閥解体によって、いったんかなり平準化、民主化が行われました。ご存じのように、戦前の日本は財閥がものすごくお金を持っていました。そして大都市だけでなく、地方にものすごい大地主がいた。たとえば、「島根の山林王」の田部《たなべ》長右衛門は中国山地のほとんど全てを持っていて、四国の山地のかなりの部分も田部家一軒で持っていました。

ところが戦後の農地解放で急に土地が分配されることになり、小作農が自分の土地を持って農業生産ができるようになった。それで俄然、労働意欲が湧くわけです。いくら一生懸命やっても自分の土地じゃない、そこで稼いだものも地主に取られてしまうというのでは、やはり生産性が上がらない。それが自分たちの土地ということになると、誰に言われなくても一生懸命働くわけです。

戦後しばらく、農地解放以前は農民運動がすごく強かった。たとえば、新潟県の日本農民組合（日農）は社会党の支持基盤でした。でも農地解放によってみんなに土地が与えられた。そして土地持ちになった途端、急激に保守化していきます。新潟では日農がみんな

「越山会」の会員になって田中角栄を支援するというかたちになりました。

自民党はここで学びます、「土地を持たせれば、みんな保守化する」と。それで高度経済成長の途中から「普通のサラリーマンでもマイホームが持てますよ」と、住宅公団なども活用してマイホームを推進するわけです。自民党の狙い通り、人々はみるみる保守化します。いったんこぢんまりとしたマイホームを持って家族を持つと、大きな革命なんか起きてもらっては困るわけですね。

つまり、GHQの農地解放と自民党のマイホーム政策によって、日本社会が急激に平準化していく、保守化していくということが連続的に起きたのです。

戦後は農地解放や財閥解体によって、格差は一時的にかなり平準化して、結果的に分厚い中間層が生まれました。そして高度経済成長時代、池田勇人政権の「所得倍増計画」などもあって、分厚い中間層がさらに厚みを増し、活発に消費活動をした結果、日本経済が急激に成長していきました。

一方で、東西冷戦の中で社会党や共産党がそれなりの強い力を持ち、労働組合がストライキを行うのがごく当たり前ということになっていました。自民党や経済界は、この連中を怒らせると革命が起きるかもしれない。そこそこ給料を上げて不満を解消しようとしたわけです。結果的に、東西冷戦時代は労働者もそこそこ給料をもらっていました。

そして東西冷戦が終わった途端、アメリカの政治学者フランシス・フクヤマが『歴史の終わり』という本を書きました。社会主義勢力がなくなって、特に先進国は、資本主義経済、市場原理主義によって世界は豊かになっていくんだと考えるようになった。つまり、日本でも資本主義に対する社会主義運動が衰退し、自民党や経済界も革命の心配がなくなったんですね。それでマーケット一任になったら格差がどんどん広がっていった。この現象は多くの人が「格差が広がったところで構わない」というふうになってしまった、そういう気持ちの表れでもあると私は見ています。

「しょうがない」と片付けてよいのか

保阪　格差が広がると、当然ながら二極化していくわけですが、豊かな層と貧しい層を政策、税法上とかである程度は調整できるはずですね。

ただ、そういう階層の差をなくすこと自体はそもそも無理なんだというのが、資本主義国にしろ社会主義国にしろ、為政者たちの基本的な考え方だと見ていいのでしょうか。中国やかつてのソ連を見ても、社会主義というのは全く当てにならないと思いますが。

私は、為政者たちが初めから「社会なんてそういうもんだ」と考えているのかどうか知りたい。平準化の目標をどの程度に置いているのか、彼らが社会や人間に対してどういう認識、価値観を持って格差について考えているのかに興味があります。

こういう私の問題意識は、何も格差問題に限りません。私は、陸軍の軍務課で軍の政策を担っていた人にこう尋ねたことがあります。軍務課は陸軍大学校の成績が相当良くないと入れない、軍の中核の一つです。「これをやったら戦争になるという政策を立てる際に、あなたの生まれ育った村にいる、小学校しか出てない同級生の誰々さんが死ぬんだろうなと考えたことはありますか」と。

「君、いい質問をするね。そういうことを時々考えるんだよ。しかしその時にある感情は、仕方ない、なんだ。そりゃやっぱり、陸大を出ている俺とあいつでは違う。あいつに死の可能性があるとしても、しょうがないんだ」。そんなふうに答えました。正直な人だなと思いましたね。

この人と同じように、為政者たちは政策を考える時に個人的な理由をある程度は考えるのか。国の政策の中に、それを担う人たちの個人的な感情はどの程度入っているのか。

格差の再生産をなくすという話で言えば、個人としては上の層にしても下の層にしても、その過程で、ある意味、自分の出身階層あるいは所属階層の人たちを裏切り捨てて、そこから出ていくことになります。こういうところにも階層が生まれて補完されていく理由があるのではないか。漠然とですが、そんなふうに感じます。

たとえば、昭和前期の頃までは勉強して陸大に入れば下の階層から脱出できるという面がありました。ただそれは、単に勉強の点数によって格差の位置付けが決まるということでしょう。つまりその状態は、決められたある一定の格差の枠の中に組み込まれているだけとも言えるわけです。

そういう組み込まれる枠自体が再生産されているのが、私たちの国の問題だけでなく、世界的な問題なのかもしれません。

今は、池上さんがおっしゃったように、勉強による脱出も教育格差によって困難になっている。あるいは私が言ったように、大学院を出たドクターでも就職口がないという問題もあります。もちろん格差は是正していくとしても、組み込まれる枠そのものについて、為政者たちが「しょうがない」と片付けてよいのかどうか。そういう問題意識が私の中にはあるんですね。

池上　昭和の前半は、まだ今日のように教育が大衆化していません。ただ、それぞれの地域でとてつもなく頭のいい子どもは「村の神童」などと言われて、岸田首相の宏池会の大先輩、大平正芳がいい例ですが、家が貧乏でも金持ちの親戚や地元の篤志家が上の学校に行くお金を出しました。もちろんみんながみんなではないけれども、とてつもなく優秀だと地域を挙げて大学に行かせた。そういう人たちはそれによって貧しさから脱却できたわけです。

なぜ応援するのか。そういう人が官僚や政治家になれば、きっと我が村にいずれ何かおこぼれがあるんじゃないか、我が村のために何かやってくれるんじゃないか、そういう期待があるわけです。だから一生懸命に地域を挙げて教育に力を入れて東京に送り出す。そういう構造がちょっと昔までありました。

ちなみに、我がふるさと長野県は「教育県」を名乗り、優秀な若者を東京に送り込めば長野県が良くなるだろうと思って行政的にも後押ししたのですが、みんな東京に行ったきりで、全然おこぼれはありませんでした。

保阪　軍人の中には「種付け馬」なんて呼ばれる人たちがいたんですね。貧しい村から陸大とかに入って、将官の娘とかと結婚して婿に入って軍の中で偉くなるという人に対して、ある軍人は「我々はそういうやつを種付け馬と言っていたよ」と話していました。失礼な言い方ですが、種付け馬になって上の階層に入っていき、それでその階層を補完するという構造があったわけです。

松本清張さんは「軍隊は平等だ」と言っていました。「軍隊は東大を出ていようが、小学校しか出ていない者にぶん殴られる」と。軍隊には、そういう一般社会の階層が持ち込まれないように見える面はあるけれども、ただ、先ほど言ったように「組み込まれる枠」という大きな構造が厳然とあるのもまた事実です。種付け馬の話はその事例の一つなんですね。

「そんなテレビ番組は誰も見ない」

池上　最初のほうで、今は「貧しさが非常に見えにくくなっている」と言いました。それも保阪さんがおっしゃった格差を「しょうがないもの」として片付けてしまう考え方に影響しているし、組み込まれる枠の問題にも関係していると思います。

なぜ今日、貧困が可視化されないか。やはり大きいのはテレビが取り上げないからでしょう。なぜ取り上げないかと言えば、「格差がこんなに広がっているんです、これでいいのでしょうか！」という番組を「誰が見てくれるの？」という話に行き着いてしまう。つまり、結局は「パンとサーカス」の構造ですね。たとえば、長時間のお笑い特番をやっていれば、みんなそれで浮世の憂さを晴らしてくれるわけです。誰もがそこそこには食べていられるし。

ただ一方で、マルクス経済学者の斎藤幸平さんの『人新世の「資本論」』（集英社新書）がベストセラーになりました。私が出した『高校生からわかる「資本論」』（集英社）も最近、次々と増刷されています。「こんな格差、おかしくないか」と思っている人がたくさんいるからこそ、改めて資本論ブームが起きているのではないでしょうか。だからと言って、かつてのように「前衛党による革命」なんて求めてはいない。でも「今の世の中、何かおかしいから学びたい、知りたい」という欲求は、確実にあると思います。

保阪　全く同感です。まさにカール・マルクスの『資本論』は私たちが組み込まれる大きな枠について論じた本ですからね。

戦争が階層を崩壊させ、再生もさせる

保阪　私はあまり好きではないけれども、大正・昭和史を知るためにプロレタリア作家の作品を読み込んだ時期があります。「地主はなぜ小作の娘を犯したか」なんていう題の小

説もあって、文学としては低いレベルだと思いますが、下の階層の人たちの生活を赤裸々に描いているプロレタリア文学は、特に昭和初期の階層というものを知るある種のデータになるんですね。これが本当なら下の階層の生活レベルはひどいもんだなと、つくづく考えながら読んでいました。

池上　今の保阪さんの話は、世界的ベストセラーになった『21世紀の資本』を書いたフランスの経済学者、トマ・ピケティの調査の手法と同じですね。彼は、過去の様々な経済格差のデータについて、データそのものが残っている場合にはそれで格差が広がるのを見るのですが、データがない時代に関してはフランスなどの文学作品を参照しています。それぞれの文学作品の中で大地主と小作人の給料がどれだけ違っていたかとか、小説に書いてある数字を見て、それをデータとして集めている。保阪さんと同じ手法で、データのない時期を補完して分析や考察をしているわけです。

保阪　プロレタリア作家の書くものは悲惨そのものです。小説だからある程度の誇張は割り引くとしても、実際そういう人たちがいたということは事実でしょう。だから階層の現実を知ることができると思ったのです。

池上　極めて皮肉なことですが、ピケティも言っているように、戦争は格差を減らすんですね。戦争になるとあらゆるものが破壊されて、特に金持ちが財産を失ってしまう。結果的に平等になるわけです。

まさに敗戦国・日本の戦後がそうで、みんな焼け野原になって何もないかたちで平等になった。さらに日本の場合、農地解放や財閥解体があって、極めて格差のない平等な社会からスタートしました。

じつは勝ったアメリカもそうなんです。焼け野原には全然ならなかったけれども、戦後は格差が相当少なかった。戦争前後のアメリカの経済については、1929年の株価の大暴落の後にニューディール政策で景気が良くなったなどと言われていました。でも最近では、そのあと第二次世界大戦になったのを契機に戦争特需で景気がよくなったというのが有力な説になっています。同時に、戦争になってみんな平等に徴兵されて戦場に行き、戦争のための費用が必要だからと増税されました。結果的に第二次世界大戦が終わった頃は、アメリカもかなり格差が小さかったのです。

けれども日本でもアメリカでも、やはり資本主義は放っておくと格差が広がっていくんですね。つまり資本主義の下では、平和な時代がずっと続くと格差が拡大していくというわけです。

空襲で焼け出された都会の人たち。散乱する材料で建てたバラックを住まいにした＝撮影日時不明

保阪　戦争は確かに格差を広げない、格差を抑える最大の要因ではあります。戦争の内情を見ると、その状態はみんなが貧しい平等な生活をしているということですね。だから、そのことによる違ったかたちの連帯、ある種の人間関係ができていってもおかしくないでしょう。

日本では太平洋戦争が終わった時、階層はある意味で壊れてしまった。そして、たとえば食べるものを持っているか持っていないかという、農家が上の階層になるような新しいかたちの階層化が始まるかに見えました。天皇家の一族だって物を売りながら食べていたわけですから。

ただし明治以降、日本は10年おきに戦争をやっています。昭和の国家総動員体制の戦争で初めて階層の崩壊が起こったわけです。日清戦争や日露戦争の時は逆なんですね。戦争で儲ける人たちがたくさんいた。いわゆる戦争成金ですが、これは格差を平準化しないでむしろ広げたと思います。

つまり、戦争が終わった時には一時的に階層が分解されて、階層がゼロになって、そこからまたスタートになる。それでまた新しい階層ができていくのでしょうね。

池上 日清・日露は本土ではなく、大陸で戦争していました。太平洋戦争は日本の本土が全部空襲で焼けちゃうわけですから、そこはやはり大違いです。

労働組合は特権化し、フェードアウトの運命

保阪 戦後の日本は労働組合運動も盛んでした。これも経済格差の平準化に影響したでしょう。しかし、労働組合はどんどん力を失っていく。組織率は厚生労働省のデータによれば、1949年の55・8%をピークにほぼ一本調子で低下して、2021年は16・9%です。これは高度経済成長と関係があるし、格差の拡大にも関係していると思います。

池上 労働組合の組織率の低下にはいくつかの要因がありますが、先に述べた通り、東西冷戦の中では経済界に、労働組合の言うことを聞かないと革命が起きるかもしれないとい

う恐怖心があった。たとえば、当時あった日経連（日本経営者団体連盟、現・経団連、02年に経済団体連合会と統合）は、まさに革命が起きないように労働組合対策をしようという財界の総司令部のような役割を果たしていました。

しかし東西冷戦が終わった途端、革命の恐怖はすっかり消えて、経済界はそんなこともやらなくていいとなっていく。あるいは、単に「頑張ったら給料上げてあげますよ」という仕組みにすればいいとなっていくわけです。

それまではみんな一律に給料が少しずつ上がっていました。特に4月に定期採用された同期は、最初の数年は全員平等に上がる。それで3年目、5年目くらいで係長になった人は、給料が同期より月500円くらい高くなったりする。それくらいしか変わらない。それでも同期の中で「なんであいつは、俺らより1000円も高いんだ」といがみ合いが起きたりする。それほど平等だったのです。

それが革命の恐れもなくなって、政治は「新自由主義で、頑張れば報われる社会にしようじゃないか」となっていきました。経済界も月給ではなく、年間の報酬はこれだけという仕組みにして、成果を上げた社員の給料はどんどん上げていく。あるいは、ボーナスで100万円とか150万円とかの差をつけるということをやっていく。つまり、「労働組合なんかでみんなで一緒になって賃金引き上げをやるよりも、自分が一生懸命頑張れば豊かになれるんだよ」という構造になったわけです。

これは、ある意味ポストモダン的な「みんなと一緒にやる必要はないよ、自分一人でいいよ」という働き方、生き方と言えるでしょう。現代の人間は、それぞれが砂つぶのようにバラバラになっていて群れることを嫌っているというのが、いわゆるポストモダンの見立てですから。

要するに「労働組合に入ったらどんなメリットがあるの？」という個人の損得に関わる問いに労働組合は答えられないわけです。組合費は高い、入らなければ払う必要がない。入ったらメーデーに動員されて、5月の連休には家族で遊びに行きたいのに、会場の代々木公園に渋々行かなきゃいけない。「なんでこんなことをするんだ」と嫌になる。当然ながら組合に入る人がどんどん減っていくという状態になりますよね。

保阪　昭和40年代初め、労働省の役人にサラリーマンの給料について取材した時に、たまたま「労働組合全体がダメになる」という話を聞かされました。彼は官僚でありながら労働組合の健全な発展を望んでいたんですね。彼の言葉は今でもよく覚えています。彼は「日本の労働組合は特権化して、やがて倒壊していくよ」と言った。何も悪口ではなくて、労働組合は自分たちの権益に溺れてその権益を守る集団になっていき、最終的には純粋さを失っていくというわけです。

やはり労働省の役人ですから、当時の日本の労働組合の動きそのものをよく見ていて、労働者階級の権利を守るという本来の目的と違った組織の原理で動く将来の姿を読み取っていたのでしょう。それは当たっていたと思います。彼の予測通り労働組合は特権化して、日本のある種の古いタイプの組織を抱え込むかたちになりました。

つまり、これまでの日本の労働組合運動は幻想だったわけです。だから今、組織率が20%もいかない。これからは連合のような労働組合が格差を是正するという時代ではなくなっていく気がしますね。やがて日本の特権化した労働組合は、本当にフェードアウトするかたちで消えていくのではないでしょうか。

習近平は格差をなくせるか

池上　世界を見ると今、中国が盛んに「共同富裕」と言っていて、経済格差の是正を政策の重要課題に挙げています。これは鄧小平のコースを習近平が変えようとしているんですね。鄧小平はまさにトリクルダウンでした。有名な「先富論」で、「豊かになれるところから豊かになっていけば、やがてみんな豊かになる」と、特に海岸部を経済特区にして改革開放を加速させました。確かにそれによって内陸部もかなり豊かになったことは事実でしょう。けれども、むき出しの資本主義そのものに急転換したことで、とてつもなく経済格差が広がって、それに対する不満がうんと出てきました。

だから習近平は共同富裕という言い方を使って、「みんなで揃って豊かになろう」というコースに変えようとしているわけです。それで最近の中国は、とりあえず「金持ちを叩こう」という風潮になっています。

たとえば、有名な俳優たちは金持ちの象徴なので次々と脱税で捕まえたり、中国版GAFAと言えるアリババやテンセントに独禁法違反や権利侵害などでものすごい圧力をかけたりしています。あるいは「金持ちは積極的に寄付をすべきだ」と習近平が言い出した。今、中国の金持ちたちは自分の身が危ういのでせっせと寄付をしています。アイドルの人気ランキングなどの「投票権」を付けて特定商品を売る行為を禁止しました。これは、そういう無駄づかいができない人たちの不満を抑えるためですね。

こうしたことを手始めに、本気で格差を是正しようとしています。言ってみれば、習近平は「第二の毛沢東」になろうとしているわけです。毛沢東の時代はみんな貧しくて、平等だった。習近平は豊かで、平等だというかたちにしたい。だから格差を是正しようとして、強圧的に金持ちを取り締まるというやり方を取っています。それが果たしてうまくいくかどうか。

じつは中国にとって「金持ち叩き」はかなり痛みを伴うもので、それによって中国経済は今のようには発展しなくなるかもしれません。たとえば、大手不動産グループの中国恒大のデフォルト問題です。世界が注目するような騒動になって、もし潰れてしまったら中国経済には大打撃になります。だからと言って助けてしまうと「なんで金持ちを助けるんだ」と不満が出てくるからそれもできない。そのジレンマに陥っているわけです。

保阪　私は以前、よく中国に行っていました。共同研究も1回やったことがありますが、中国の人はプライベートになった時に話すとものすごく面白いんですね。

たとえば、一緒に街を歩いている時に「保阪さん、中国に来たら言っていいけどやってはいけないこと、やっていいけど言ってはいけないことをちゃんと覚えておかなきゃダメだよ」と言われた。「どういう意味?」と尋ねたら、「日本の人は、普通は封建制から資本制になって共産制になる。でも中国は、封建制から共産制になってそれから資本制になる。そういう歴史的な経緯を辿ってるんだねと言う。それは絶対に言っちゃいけない。実際にそうなんだから」なんて釘を刺すわけです。

話はそれで終わらなくて、「あれを見てごらん」と株の取引所を指さして続けた。「1階から5階まである。1階はおばさん連中、大衆が株を買っている。5階は大金を出す人たちがいるからソファがあってコーヒーがあって、女性の社員が秘書のようなことをしてくれる。投資の額によってビルの階数が違って扱いが違う。上に行くほど額が大きい。封建制、共産制、資本制の話はダメだよ。しかし、あそこで株を買うのは全く自由だよ。一番上で買ってもいいよ」と、連れて行ってくれました。だから1階で中国の電信電話公社の株を買った。今でも持っていますが、いくらで売れるのかな（笑）。

そういう中国の流儀は、たとえば、目の前で車にはねられたおばあさんが運転手と言い合いになっているのを見た時にもわかりました。運転手がポケットから金を出して、金で解決するわけです。保険なんてものには入っていない。はねた運転手は金を渡した後、そのおばあさんが死のうがどうしようが知ったこっちゃない。私には「下衆《げす》な社会システム」に見えましたが、そういうのが中国の特徴だと思います。

ただ、人間同士が生身でぶつかっている社会だから、そこに日本では考えられないほどの正直な姿が出てくるんですね。たとえば、鄧小平は進んでいるところは進め、遅れたところはついて来いと言った。しかし遅れたところはついて行くどころか、まだ穴倉を掘っているような状態でした。「そういうやつらについて来いと言っても無理なんだよ」と、そういうことを中国の人たちは平気で言います。

「ウイグルに近代的なビルが建っても……」

保阪　また、あんまり言うと彼らは怒りますが、3〜4年前にウイグルの話をしたら、「中国政府がどれだけ金をつぎ込んで支援して学校を作ったか。それなのに、彼らは全然ありがたく思わない」と憤慨していました。驚きましたが、中国の中の拝金主義、下の階層の人たちに対する嫌悪感。そういうものがかなり出ていると思います。

「金が第一」という考え方、生き方を習近平はなんとか直そうとしているのでしょうが、中国はその歴史において、ある意味で階層化が不可避的だったから、中国で格差がなくなることはないと思いますね。

池上　中国は特に内陸部が本当に立ち遅れていました。莫大な金をつぎ込んで豊かにするということで言えば、今のチベットもそうです。チベットにもウイグルにも莫大な金をつぎ込んでいて、新しい鉄道ができ、橋がかかり、道路ができ、近代的なビルがどんどん建っています。

でもウイグルで言えば、古いモスクが取り壊されて近代的なビルができている。中国の人は「豊かになったんだから良いだろう」と言いますが、ウイグルの人にしてみると「モスクを破壊して、なんだよ！」となるわけです。チベットの人にしても「チベット文化を全く尊重していない！」となっていて、「立派なビルを建てるから良いだろう」といった言い分への反発がものすごい。結局、中国はわかっていないんです。

保阪 中国の人たちの性格が資本主義の体質に向いているのだと思いますね。こう言ってはなんですが、人間的・文化的には全く社会主義ではない。だから中国で資本主義が発展しないわけがない。その意味では、日本のほうが社会主義に向いていると感じてしまいます。

池上 今の中国は、いわゆる国家独占資本主義なんですよ。私は大学時代にマルクス経済学を勉強しました。そこに出てくる国家独占資本主義そのままに、国家の管理の下で一握りの独占によってむき出しの資本主義経済が進んでいる。これが今の中国だと思いますね。

第4章

地球が悲鳴を上げている！

融解が進むツラギ氷河。右後方はマナスル。末端の氷河湖は29年間で２倍に拡大した＝2007年11月、ネパール中部

世界中の若者が「先送りは許さない」と声を上げる気候変動。国際社会が取り組むべき最重要課題として浮上している。ビジネス的思惑、陰謀論、原発問題などがある中、世界は、日本は、経済と環境をどう両立させるのか。この社会体制・意識の延長線上に「解」はあるのか。

いつから「気候変動」への関心が高まったか

保阪 前の章で「格差」について議論しました。それと同じように今日、世界的課題になっているのが「環境」ですね。この問題はまさに歴史の「潮目」の中央に位置しているように思います。この章では気候変動や地球温暖化について、池上さんの解説をうかがいながら、私も考えを深めてみたいと思います。

そう言えば、地球温暖化にも関わる気候モデルの研究でノーベル物理学賞を受賞した真鍋淑郎《しゅくろう》さんは、60年代に次々と画期的な論文を発表していました。でも当時、一般には全く知られていない。朝日新聞の過去の記事を検索してもらうと、最初に「気候変動」という言葉が出てくるのは1972年だそうです。80年代になって、徐々に気候変動、地球の温暖化、温室効果ガスといった言葉が一般にも知られるようになるわけです。

そして近年、若者たちを中心に一気に関心が高まってきた。あるいは為政者たちが急速に動き始めているという印象です。この現象は何を意味しているのか、私たちの国の取り組み方は十分なのか、本当に人類社会は解決できるのか。地球という星が、自然界の大災害とも言うべき危機を前にして、「予兆」を示すどころか悲鳴を発しているのかもしれない。そういう問題意識を持って、まずは池上さんのお話にじっくり耳を傾けたいと思います。

池上　わかりました。では、とりあえず2021年11月にイギリスのスコットランドで開かれ、注目を集めた「COP26」の話からしてみましょう。COP26は、国連の気候変動枠組条約に参加している国々による26回目の国際会議のことです。ちなみに、COPと呼ばれる国際会議は今回の地球温暖化対策だけに限りません。「生物多様性条約」や湿原保全の「ラムサール条約」、絶滅危惧種保護の「ワシントン条約」など、国連の条約に参加している国々によるいろいろな国際会議があって、みんなCOPと呼ばれています。

また、気候変動という言葉を使っていますが、「気候変化」と「気候変動」を使い分けている点に注目してほしいですね。

気候変化というのは自然に起き得る気候の変化のことです。たとえば、氷河期と間氷期の繰り返し。地球の歴史で見ると、全てが氷河に覆われる時期がある。その氷河期が終わると間氷期。氷河期と氷河期の間に温暖化して、地球上の雪が溶けたり、氷河・氷山が溶けたりする時期がある。地球はこの二つの時期を繰り返しています。

現在は間氷期です。一番近い氷河期の終わりが約1万年前。温暖化で地球上の雪や氷が溶ければ、それだけ陸地が水没します。日本列島でも「縄文海進」と呼ばれる海面上昇が起きて、今で言う首都圏の大部分は海になりました。

その後に海面が下がったり堆積物がたまったり地面の隆起があったりして、今日のような陸地になった。たとえば、東京のあちこちで出てくる温泉、大江戸温泉などはその時に東京に取り残された海水なんですね。ただ東京の源泉は、成分は普通の温泉と同じようなものですが、海水ですから温かくありません。多くの温泉は火山地帯にあって、マグマで熱くなっている地下水を掘り出しています。一方、マグマのない東京の温泉は地下水をボイラーで熱しているんですね。

東京の温泉にしても埼玉県のほうの貝塚にしても、昔このあたりは海や海岸だったという印です。つまり、いずれまた氷河期はやってきます。こういう自然現象が気候変化です。

それに対して、人間の人為的な活動によって気候が左右されてしまうのではないか、というのが気候変動と呼ばれる現象です。

だから地球温暖化に対して「地球はいずれまた寒くなるんだから放っておけばいい」という考えもあります。一方で、「いや、そうじゃない。人間の活動で急激に気候変動が起きることによって、人間生活に破壊的影響が出るんだ」ということが、広く議論されるようになってきたわけです。

アル・ゴアのドキュメント映画

池上　大きなきっかけは、やはり1988年に国連でIPCC（気候変動に関する政府間パネル）が設立されたこと。その中心になったのがWMO（世界気象機関）です。世界中の気象庁などが集まった国際機関で、ここと専門家たちによって「人為的に地球が暖かくなっているんじゃないか、これを調べようじゃないか」となり、90年にIPCCの最初の報告書が出て、ようやく地球温暖化が世界的課題として注目されるようになりました。

92年には「地球サミット」（環境と開発に関する国連会議、参加182ヵ国）がブラジルのリオデジャネイロで開催されました。大気汚染や海洋汚染など地球全体の環境悪化をなんとか食い止めなければいけないという初めての国際会議です。ここでとりわけ気候変動がクローズアップされて、気候変動枠組条約が採択されました。

そして97年に日本の京都でCOP3、気候変動枠組条約の3回目の国際会議が開かれたわけですね。私は取材に行きましたが、この時は先進国と途上国の対立が非常に大きかった。先進国は「温室効果ガスを削減しろ」、途上国は「まだまだ豊かになりたいから嫌だ」と言っていました。結局、採択された「京都議定書」は「先進国だけ自主的に取り組みますよ」という内容にとどまります。

その時のアメリカの大統領は民主党のビル・クリントンで、副大統領は、のちに地球温暖化の啓蒙活動でノーベル平和賞を受賞するアル・ゴアでした。そのゴアがわざわざ京都までやってきて一生懸命根回しした結果、アメリカも京都議定書に加わったわけです。

その後、大統領はクリントンから共和党のジョージ・W・ブッシュになった。ブッシュ政権は特にエネルギー産業の支援を受けていましたから、「温室効果ガスを減らすなんてとんでもない」と全然それを行わず、京都議定書の枠組みからも2001年に離脱してしまいます。結果的にその後アメリカは、地球温暖化に対する取り組みをずっとしてこなかったわけです。

保阪　ゴアは地球温暖化を警告するドキュメンタリー映画『不都合な真実』(06年)に主演しましたね。

池上　脚本も彼になっています。「キリマンジャロの雪がどんどん消失している」とか「南極や北極の氷がどんどん消えている」とか、ゴアが写真を紹介しながら講演する様子などを撮ったドキュメンタリー。あの映画の衝撃もあって世界の世論が大きく動きました。

先進国だけの「京都議定書」、世界中が参加した「パリ協定」

池上　じつは京都議定書は条約として縛りがきついものでした。それぞれの国がきちんと議会で批准しないとこれが認められないんですね。日本は京都議定書を批准しましたが、アメリカは批准する前に離脱したわけです。

これに対し、2015年にフランスで開かれたCOP21で「パリ協定」が採択されて、アメリカも参加しました。私はパリ協定も現場で取材していましたが、京都議定書と何が違うか。この時のアメリカの大統領は民主党のバラク・オバマです。ただし、議会は共和党が多数派でした。だからアメリカはとても批准できないだろうということで、議会を通さずに大統領権限で承認できるレベルの取り決め、縛りがゆるい協定にしようとなったわけです。

「本当は議定書にしなければいけないけれども、アメリカが参加できるほうがいいよね」とみんな判断した。それでオバマは大統領令でこれを承認することができた。その後、大統領がトランプになってパリ協定から離脱するということになりましたね。

じつは、このパリ協定の時にＣＯＰに参加していた国々は「オバマの後はまた共和党の大統領になるかもしれない。そうなったらアメリカはきっとパリ協定から離脱するだろう」とあらかじめ考えていました。そこで何をしたか。協定発効の３年後まで離脱を国連に通告できない、かつ通告から１年後以降でないと正式に離脱できないと定めたのです。

その結果、トランプは17年６月、パリ協定を離脱すると表明したけれども、実際に離脱が可能になったのは20年11月でした。それでいったん離脱したけれども、21年１月から大統領が民主党のジョー・バイデンになって、またすぐに復帰したわけです。

またパリ協定では、初めて世界中の途上国も参加する枠組みができました。京都議定書はあくまでも、先進国全体で「温室効果ガスを２００８年から12年までの間に、１９９０年比で約５％削減する」という取り決めで、アメリカ７％、日本６％、ＥＵ（欧州連合）８％と、それぞれが「これだけ温室効果ガスを減らします」と決めたわけです。

EUはかなり厳しい基準を出したように見えますが、じつはずるかった。90年の直前に東西冷戦が終わって、東ドイツなど主に石炭を使っていた旧東欧諸国がEUに入ってきたので、当時は温室効果ガスの排出量が膨大になっていました。だから、それを西欧レベルに切り替えるだけで、EU全体としてあっという間に基準をクリアしてしまいます。

それに対して日本は、特に70年代のオイルショック以降、とにかく省エネで、当時よく使われた言い方だと「乾いた雑巾を絞るように」して、二酸化炭素の排出を減らしてきました。にもかかわらず、さらに厳しい基準が課せられたんですね。

議定書は義務です。実現できなかった場合はペナルティーを課せられます。とても日本はクリアできないだろうと言われていたけれども、結果的にはできた。ただし、それは「リーマン・ショック」のおかげです。2007年まで日本は、とてもクリアできないとペナルティーを覚悟していた。そうしたら08年にリーマン・ショックが起きて経済活動が大きく低下し、温室効果ガスの排出量も急に減りました。結果的に日本は6％削減をクリアできたというわけです。

ものすごく皮肉なことですよね、温室効果ガスを減らすには経済活動を抑えないといけない。ところが20年に始まったコロナ禍でも、世界中で経済活動が止まった途端、空気がきれいになった、海がきれいになったということが起きました。

京都議定書は先進国だけだったものを、パリ協定では世界中の国が参加できるようにしました。それは画期的なのですが、パリ協定は義務化されていません。全部、自主的な目標なんですね。それぞれ「自分の国はこういうことをやる」と目標を国連に届け出るだけ。その結果、クリアできなくてもペナルティーは何もないのです。

21年のCOP26では、このパリ協定に基づいて「グラスゴー気候合意」が採択されました。世界の平均気温の上昇を1・5度未満に抑えるため、二酸化炭素を含む温室効果ガスの排出量の削減強化を参加国に求めるという内容です。それで、たとえば日本は「2050年までにカーボンニュートラルを実現する」と言い、中国はそれを2060年に実現すると言い、インドは2070年に実現すると言った。これはあくまでもパリ協定に基づく目標ですから、自主的な届け出という仕組みなので、やはり不十分なものです。しかし、世界中の国が参加しているという点では画期的と言えるでしょうね。

陰謀論と発展途上国の反発はなくならない

保阪　一方で、地球温暖化を「放っておけばいい」という人たちがいます。21年10月に自民党の麻生太郎副総裁が北海道での街頭演説で「地球温暖化って悪い話しか書いてませんが、温暖化でいいことがあります」と言って、「北海道は暖かくなった。平均気温が2度上がったおかげで、北海道のお米はおいしくなった」なんて、また失言していましたね。

池上　麻生さんは、温暖化していること自体は認めているから、まだマシでしょう。問題は温暖化自体を認めていない、あるいは「気候変動ではない、気候変化だ」と言っている人たちが今も結構いるということです。

２００９年にイギリスの大学で「クライメートゲート事件」というのがありました。気候研究ユニットの電子メールや文書が大量に流出して、その中に、ＩＰＣＣの第4次評価報告書をまとめた専門家たちとのやり取りが含まれていて、データのねつ造などが疑われたわけです。英語のクライメート（天候）とアメリカ政治史上の大スキャンダル「ウォーターゲート事件」をかけた造語で、世界的騒ぎになりましたが、結果的にはＩＰＣＣの報告書の科学的信用に全く影響しないレベルの話だったんですね。

けれども、温暖化懐疑派にしてみると「ほら見ろ、でっち上げだ」と勢いづいた。「温暖化対策をしなければいけないというのは、金儲けをしたい連中の陰謀なんだ」と。そういうこともあって、今も「温暖化なんかしていない」と言っている人たちが世界中にいて、日本にもいるわけです。

保阪　そういう人たちは「歴史修正主義者」というような枠組みとも少し違う。

池上　これは「陰謀論者」です。たとえば、「20年のアメリカ大統領選挙ではトランプが当選していた」、「ワクチンは危険だ、マイクロチップが入っていて人間たちをコントロールしようとしている」、そして「温暖化なんかしていない」。この三つを主張する人たちはかなりの程度でダブっています。

保阪　「温暖化なんかしていない」と強硬に言っている為政者はいるんですか。そういうことを政府として意志表示している国家はありますか。

池上　トランプは自分が大統領になった選挙戦中に「でっち上げ」と言い続け、大統領になってからも「地球の気温上昇は人間活動が原因だという説を自分は受け入れていない」と言っていました。一方、トランプと同じような懐疑派だったブラジルのジャイル・ボルソナロ大統領は、国際的に批判されてもアマゾンの開発を進めていましたが、最近それにストップをかけて2050年までに温室効果ガスの排出量をゼロにすると表明するなど、方針を改めたように見えます。ただ、独裁政権は「気候変動なんて嘘だ」と言いがちです。

保阪　中国の「60年までにカーボンニュートラルを実現する」という目標は、どう理解したらいいのでしょうか。先進国に比べると相当タイムラグがあって遅いですよね。中国の企業は国策で動くから、やろうと思えばかなり早くできるはずですが。

池上　「やるんだ」と習近平が号令をかけた途端、それぞれの省ごとに排出基準というのを決めて、強制的に火力発電所を止めたりしています。その結果、あちこちで停電が起きました。これもある意味、独裁政権らしいめちゃくちゃな動きですね。

保阪　現実問題として発展途上国と言われるような国々には、やはり先進国主導の温暖化対策に対する苛立ち、ないし反発があるでしょう。

池上　その通りです。「お前たちが温暖化しておいて今になってみんなやめろって、我々に豊かになるなと言うのか」という反発はすごいですよ。

保阪　アフリカはその傾向がかなり強そうですね。

池上　パリ協定で、アフリカなどに対しては先進国が温暖化対策のためのお金を出しましょう、援助しましょうとある程度なだめて、文句が出ないような仕掛けにしました。ただし、アフリカ諸国は「先進国の支援が十分じゃない」ということで、最近は特にＥＵ諸国に対して反発しています。

保阪　一方で、インドネシアやベトナムなど急激に伸びている国は、パリ協定を遵守すると積極的に意志表示しているようです。

池上　そうなんです。たとえば、インドネシアのジョコ・ウィドド大統領はCOP26の演説で「24年までに60万ヘクタールのマングローブ林の再生を行い、遅くとも30年までに林業分野で二酸化炭素の吸収量が排出量を上回るカーボンネットシンクを達成する」などと言っていました。また、インドネシアは地熱発電に切り替えようとしていて、その支援を日本が技術援助やＯＤＡ（政府開発援助）でずいぶん行っています。

先ほど言ったように、パリ協定は「先進国が温室効果ガスを出さないような仕掛けを支援します」というかたちになっています。結局、「パリ協定を守ります」と言うと日本など世界の国々が支援してくれる。「じゃあ、そうしましょう」という構造ではあるわけです。

グレタ・トゥンベリは「歴史の潮目」になれるか

保阪　気候変動に関しては「世代論」という視点もありますね。テレビを見ていると、世界中の若い人たち、特に十代の人たちが大人たちに対して「信頼できない、嘘を言っている」と叫んでいます。「罪を犯したのはお前らなのに、なんで罰を受けるのが我々の世代なんだ」と怒っている。そういう若い人たちの動きを誰かが意図的にサポートしていたりするのでしょうか。

池上　サポートしているグループはあるでしょうが、その意図、たとえば政治的な思想とかを特定するのは難しい。若い人たちが声を上げたのは、やはりスウェーデンの２００３年生まれの女性、グレタ・トゥンベリへの個人的な共感が大きいんですね。

グレタ・トゥンベリさん。米議会の公聴会で証言＝2019年９月18日、ワシントン

グレタさんは8歳の時に学校で環境問題に関する映画を見せられて激しいショックを受けました。彼女は非常に繊細なものだから、その影響で拒食症になったりして精神的な問題を抱えてしまうほど、今すぐに何かしなければ自分たちの未来はないと思いつめた。それで15歳の時から「気候のための学校ストライキ」、毎週金曜日に授業に出ないで、スウェーデンの国会議事堂の前でたった一人で座り込みを始めるわけです。

当初は誰にも相手にされなかった。けれども、たまたま通りかかったメディアの人間が取り上げ、SNSでも拡散して、その姿とメッセージが国際的に一挙に広まった。それで世界各国の若い世代、まさにグレタさんと同じ世代が「大人たちは信用できない、自分たちの未来を自分たちでなんとかしなければ」と声を上げるようになったのです。

彼女は、18年12月にポーランドで開かれたCOP24や19年1月のダボス会議（世界経済フォーラム年次総会）、その4月のEU議会やイギリスの国会など、いろんなところに招かれてスピーチするようになった。結果的にEUが19年11月に「気候非常事態」宣言を出して、加盟国に地球温暖化対策の強化を求めます。

EU諸国は気候変動に鋭敏なんですね。たとえば、KLMオランダ航空は近距離の飛行機を減便して高速鉄道と連携しています。航空会社が悪だという見方をなんとか抑えようというわけです。あるいは、オーストリアでは20年6月に「列車で3時間以内の国内線を廃止する」という法律が制定され、フランスでも21年7月に同じような法律が成立しています。

18年にスウェーデンから始まってEU諸国でかなり広がっている「飛び恥（フライトシェイム）」という言葉もありますね。日本で「逃げ恥（逃げるは恥だが役に立つ）」というテレビドラマがあったのを思い出しますが、「飛ぶのは恥だ、鉄道に乗るのは誇りだ」という運動です。もちろん、グレタさんもその賛同者です。

やはりEU諸国の意識は、グレタさん以前からものすごく進んでいます。ただ、グレタさんはそこに大きな影響力を与えているわけです。「対策を取らないといけない時にグレタさんを利用している」と言えばその通りなのですが、彼女の登場は、まさに今日の「潮目」の一つと見ていいでしょうね。

ヨーロッパの「緑の党」の影響力に注目

保阪 ドイツの緑の党も、ものすごく気候変動対策に積極的です。選挙でもかなり票を取ります。ドイツには危機意識がかなりあるということでしょうね。

池上 緑の党が21年12月に発足した社会民主党のオーラフ・ショルツの連立政権に入ったのは、その表れと言えます。16年間も首相を務めたキリスト教民主同盟のアンゲラ・メルケルの連立政権では、緑の党はずっと野党でしたから。

保阪 緑の党はヨーロッパを中心に世界中にありますが、まだ単独で政権を取れるような多数派にはなっていません。

池上　ドイツでは大きな勢力になっていて、メルケル以前には連立政権にも加わっていました。他のところではそれなりの勢力になっていますが、確かに与党にはなっていない。ただEU議会では、各国から議員が選ばれた後に考え方の同じ者が集まって党派を作ることもあって、緑の党の党派は、人民党グループや社会民主進歩同盟などに次ぐ5番目の議員数とはいえ、かなり影響力を持っていますね。

保阪　日本の政治団体で言うと「緑の党グリーンズジャパン」になるのでしょうが、ほとんど知られていませんね。

池上　ただ、COP26ではスコットランドのグラスゴーまで日本の高校生が授業を休んで行っています。これなんかは、気候変動の問題に取り組む新しい動きがこれまでと違ったかたちで出始めた、と言えると思います。

保阪　日本でそういう運動が始まると、育てるよりも揶揄するような事態が起きて、それで運動の広がりにどこかで歯止めがかかってしまうということがあります。そうではなく、「根本的、基本的問題なんだ」というかたちで運動している若い人たちをサポートする。世代論で言えば、特に私たちの世代がそうしなきゃいけないと感じますね。

池上　おっしゃる通りです。斎藤幸平さんの『人新世の「資本論」』でも、今一番の問題は地球温暖化なんだと言っています。これもベストセラーになった大きな要因でしょう。この問題を軸にして新しい政治状況が生まれるかもしれません。

保阪 どういう人が指導者になるのかという話もあるでしょうが、本当に今、求められていると思いますね。

池上 絶対そうですよ。相当過激な勢力ですが、ヨーロッパでもアメリカでも「ヴィーガン（完全菜食主義者）」が今ものすごく増えています。ヴィーガンは単なるベジタリアン（菜食主義者）ではありません。肉だけでなく、卵も乳製品も牛乳もダメなんですね。それは牛のゲップで温室効果ガスの一つのメタンが出るから。そして、飼料として大量の穀物を消費します。「牛を育てること自体が温暖化を進めている。だから一切、牛に関連するものを食べない」というわけです。

保阪 ただ運動は、進めば進むほど過激な人たちが出てきて、その論理が時に運動自体を壊すことになりかねない。決して小さくない懸念材料でしょう。

池上 個人的に「ヴィーガンです」とやっている分にはいいのですが、突然ステーキハウスや焼肉店にどどっと活動家が入ってきて、「肉を食べるのはやめろー」とお客に呼びかける。実際、そういう運動も一部で行われています。暴力的ではありませんが、それでは反発しか受けないですよね。

保阪　運動の過激化が運動自体の足を引っ張るという問題は、結局、私たちの日常の中の意識改革でも起こる基本的な問題なんでしょうね。

たとえば、日本では明治維新の時、明治4～6年にいわゆる岩倉使節団、岩倉具視《ともみ》が全権になって政府首脳たち107人がアメリカやイギリスなど12カ国を見て回りました。その視察記を読むと、やはりイギリスに行って彼らはびっくりしています。煙突から煙がもうもうと出ているさまを目の当たりにして、産業の隆盛の度合いというものを知り、我々もこういうふうに産業の隆盛化を目指さなければいけないんだ、ということになった。

それから150年も経っているわけですが、産業革命以降の歴史の中では煙突から出ている煙は発展の一つの象徴として語られていた、という事実がありますよね。今日、気候変動の問題を突き付けられてみると、そういう事実をなんと我々は楽観的に見ていたんだろうと感じます。現実にはそれは破滅への第一歩でもあった。でも発展の象徴と、ずっと同じように伝えてきて、いわば産業の過激化を止められずにきたわけです。結局、そういう歴史の中の事実を伝えていく構え、それ自体に問題があるのかもしれない。その構えゆえに過激化も起きるのかもしれない。そんなふうに思ってしまいますね。

校歌から消えた「煙突の煙」

煙がたなびく京浜地帯の工場群＝1969年、横浜市鶴見区

池上　私は8年ほど前、九州北部と三重県のあちこちの中学校の校歌を調べたことがあります。1960年代に作られた校歌には、煙突からもくもくと煙が出ているという歌詞がいっぱいありまして、どれもこれぞ我が町の発展と手放しに絶賛していました。ところがその後、熊本の水俣病事件や四日市喘息《ぜんそく》訴訟があって、そこの部分だけ歌詞が次々に書き換えられるんですね。今の校歌からはもくもくと出る煙はすっかり消えて、みんな環境にやさしいような歌詞に変わっています。

保阪　なるほど。昭和30年代半ば、公害による喘息がまだ一般に知られていないから、大学生の私も四日市の発展の象徴として煙突やコンビナートを語っていた。よく覚えています。結局、我々はそういう意識そのものをいかに捨てていくかが問われるのでしょう。時代の変化で校歌を手直しするように直していく。ただし、その中にある経緯、事実というものを全部きちんと伝えていく。そういう歴史の伝え方が大事なんでしょうね。

池上　そうだと思います。たとえば1960年代、70年代、日本の社会主義運動も公害問題に取り組みました。つまりマルクス・レーニン主義の立場から、要するに「大気汚染は資本主義がいけないんだ」と。そう言いながら、ソ連でも東ヨーロッパでも、あるいは中国でも大変な環境破壊が進んでいたのにそれを無視していたのです。また、核実験についても「資本主義国がやる核実験は悪い核実験だけど、社会主義がやる核実験は良い実験だ」と言ったりしていた。それで、1955（昭和30）年に超党派で結成された原水協（原水爆禁止日本協議会）がわずか5年で分裂してしまいます。

保阪　原水協の分裂は昭和35年。私はまだ学生でしたが、原水協の大会に行っていたので当時の様子を知っています。共産党系団体の人が「アメリカ帝国主義の灰をかぶるのは嫌だけど、正義の社会主義のソ連の灰をかぶるのは構わない」と大真面目に言っていた。そういう思想の優位性を持ち込んで、現実のいろんな問題をそこに収斂させていくという時代が、私たちの国には確かにあったんですね。

思想が抱える幻想を捨てる

池上　たとえば60年代、ソ連の灌漑工事によって中央アジアのアラル海がどんどん干上がっているという事実は知っていても、「これだけ大規模な自然改造ができるのは社会主義の優位性だ」などと言っていました。塩湖のアラル海はかつて世界4位の大きさだったのに、今では、ほぼ全部干上がってしまって大騒ぎになっています。ソ連の「自然改造計画」は、とんでもない環境破壊だったわけです。

そういう歴史があるからこそ、たとえば斎藤幸平さんは、かつてのマルクス・レーニン主義者のように「前衛党があればいい」などとは言わない。あくまでも「資本主義の今のやり方がいけないんだ」と言って、その酷さを『資本論』で分析した。単純に資本主義がダメだから社会主義が良いとは言わないわけです。ある意味逆説的ですが、社会主義と言っていた国がひどいことになっていたからこそ、今、マルクスの主張が受け入れられているのではないでしょうか。

保阪　おっしゃる通りだと思います。マルクス主義の書籍が売れているのは、資本主義が高度に発展する中ではいろいろ矛盾が拡大するんだという当たり前のことが、今の日本で、ようやく当たり前に論じられるようになったということでしょうね。

そういう状況になっているのは思想的に冷静になったからだと思う。かつてはその冷静さがなくて、かなり感情的でした。私は1991年にソ連が崩壊した後、何回かロシアに行っています。もうその頃は社会主義に幻想は持っていなかった。けれども実際に訪れてみて、社会主義の現実はここまでひどいのかと、とても驚きました。

たとえば、共産党の中堅幹部と話した時に、彼は「俺たちはマルクス、レーニンに70年も騙されていた」と言った。「騙されていたほうが悪いんじゃないか」と突っ込むと「そうなんだよ」と答えましたが。「でも、あなたの国は全く税金がない。それはすごくいいことだ」と褒めたら、「バカ言え、税金の代わりにカンパで毎月取られるんだ」と。アフリカの労働者を助けるためとかヨーロッパの労働者支援のためとか、そんなことを言われて毎月カンパしなければならない。これって税金ですよね。

そういう二重、三重のいろんなごまかしが社会主義の名の下で正義になっていたわけです。改めてその実態を目の当たりにして、「社会主義が持っている幻想を捨てるのが第一だな」と痛切に感じました。環境破壊を自然改造と言って称賛するなんて、ごまかしを正義にする典型でしょう。まさに幻想なんですね。もちろん、資本主義もそれを持っていると思う。つまり、私たちは幻想を捨てないと、人類の禍と言ったらなんですが、気候変動といった大きな現実問題を克服することはできないわけです。

たとえば60〜70年代、東ドイツなどを回ってきたマルクス経済学者の向坂《さきさか》逸郎は「通りにはハエ一匹いない。それだけ社会主義国は衛生面がいい」などと言っていました。でも事実は明らかに違う。物がないからハエも来ないんですよ。そういうふうに思想の優位性の下で現実を論じていた時代はありました。やはり思想の優位性を捨てないと、きちんと現実を論じることはできないんです。

池上　地球環境がこんなにひどい状態になっている時にイデオロギーの優劣を言っている場合じゃない、ということですよね。

保阪　ドイツの緑の党は、その意味でも先駆的な役割を果たしているように見えます。

池上　そうですね。「社会主義にすればいい」というようなことは言っていない。あくまで「環境第一」ですから。

日本の先送り体質と「ブラー、ブラー、ブラー」

保阪　イギリスの歴史家のポール・ジョンソンの指摘によれば、日本の資本主義の発展史から見れば、日本人は目標を設定するとそこへ一生懸命に直線的に進んでいく。それで短期間に進んで目標を達成する。その後、ちょっと虚脱状態に陥る。それは、ともかく目標を設定して進んでいく中で起こるいろいろな矛盾を全部先送りして、まっすぐ目標を達成するからだ。そんなふうに彼は言うわけです。

日本の高度成長はまさにそうですね。問題を全部先送りしていた。たとえば、四大公害病です。高度成長期の１９６７〜69年、軌を一にして裁判所に提訴されましたが、じつはイタイイタイ病は１９１０年頃、水俣病は53年頃、四日市喘息は59年頃、新潟水俣病（第二水俣病）は65年頃に発生している。でも、先送りされてなかなか問題化しなかった。司法の判断も先送りと言っていいでしょう、最高裁で患者側が全面勝訴するのは高度成長の末期、ようやく71〜73年のことです。

地球温暖化の問題に関しては世界的な流れの中で、日本もその位置付けをきちんとして進んでいかないといけない。つまり、問題の先送りは国際的に許されないわけです。問題を先送りにする体質がじつは我々にあるんだと考えると、それを克服する訓練がされているかどうか、まさに問われると思いますね。

池上　先送りで言うと、地球温暖化が進んでも保阪さんも私も逃げ切れるんですよね。

保阪　私は逃げ切れるけれども、池上さんはわからない（笑）。

池上　いや、団塊の世代は逃げ切れるでしょう。だからこそ、グレタさんをはじめ、今の日本の中学生、高校生も怒るわけです。「私たちの未来はどうなるんだ」と。

保阪　今の国際的な流れも考える必要がある。なおかつ我々は結局、今後の世代から問われるんだと思います。前の時代に何もやっていないじゃないか、というかたちの問われ方ですね。前の時代の無神経さ、いい加減さ、無秩序。つまり、哲学もなく惰性的に生きている今日の我々の姿が批判されるわけです。今の地球の環境破壊の中で、逃げ切りなんて言っていられない。ともかく日常的にやれることはやっとかなきゃいかんなと、切実に感じますね。

池上　ＣＯＰ26をグレタさんは「ブラー、ブラー、ブラー」（むなしい言葉だけ）という言い方で批判しました。要するに「みんなきれいごとを言っているけど、口先だけで何もやっていないじゃないか」と。たとえば、グラスゴーに世界中の首脳が集まりましたが、そのために乗って来た飛行機は全部で４００機でした。それは民間航空の商業路線ではなく、大統領専用機、首相専用機、あるいはチャーターした飛行機です。参加する首脳たちのために、４００機が余計にグラスゴーに集まったわけです。つまり、飛行機からどれだけの温室効果ガスが出るんだ、という話です。だから「ブラー、ブラー、ブラー」。みんな言うだけ言っているけれども自制が伴ってないじゃないかという批判が、そのまま当てはまりますよね。

もちろん、グレタさんは「飛び恥」ですから飛行機に乗らない。以前、国連に行った時には大西洋をヨットで渡りました。常に鉄道を利用するか、どうしても車じゃなければ行けない時は電気自動車を利用しています。

高度成長の意識を捨てた若者たち

保阪　資本主義的なメカニズムは大量生産・大量消費というのが「循環」の基本的な構図でしょう。その循環の一つの軸が我々の中にある「欲望」だと思う。これはいい悪いじゃなくて、この何世紀かはその欲望に沿う社会構造を作ってきたわけです。気候変動を止めるには日常的な我々の生活そのものを変えていかなきゃいけないとしたら、そういう人間の行動の軸を変えていかなきゃいけない。つまり、生活上の仕組みと同時に我々の物の考え方の基本を変えなきゃいけない。そういうことになるのではないでしょうか。

池上　保阪さんも私も高度成長期に学生時代を過ごしました。欲しいものがいっぱいありましたよね。私で言えば、社会人になったら中古の自動車を買って乗り回したいと、大学時代に教習所に行って試験を受けました。今、日本の若者たちには自動車の運転免許を持っていない人がすごく増えています。そもそも自動車を買おうという欲望がありません。昔は「デートするなら車を持ってなきゃ」というのがあった。今はデートにも車にも全く興味、関心がないという若者がすごく増えているんですね。

豊かになってしまって、欲しいものがないという状態です。80年代には、たとえば「おいしい生活」とか「ほしいものが、ほしいわ。」とか、糸井重里さんが西武百貨店の広告コピーを作っていました。でも、今は「そんな生活、いらない。本当に欲しいものがないもん」という若者が増えています。だからこそ逆に、気候変動を抑える産業構造に変えていくことが可能性として出てくるのかなとも思います。

保阪 高度成長期に化粧品会社などの広告を手がけた杉山登志《とし》さんという著名なCMディレクターがいましたね。彼は自分の生活はこんなではない、こんな広告を作るのは嫌だと73年、37歳で「ハッピーでないのに、ハッピーな世界などえがけません」という遺書を残して自殺した。私は、それ以前に電通関連のある会社に勤めていて、彼のように生きるのが誠実なんだなと思いました。自分の生活はそんなでもないのに大量生産・大量消費の広告を作って、それを作っている自分が嫌になって自殺したわけです。

当時、作曲家の山本直純の指揮で「大きいことはいいことだ」と大勢の人が楽しく歌う製菓会社のチョコレートのＣＭもありましたが、そんな世の中の空気を問題として深刻に受け止める繊細なセンスを持っている人が何人もいたはずです。そういう人たちをきちんと見直さなきゃいかんなと思う。そうしたら、高度成長期の空気はマイナスに転化してもおかしくない。そう考えると、広告コピーに象徴されるような高度成長を支える意識、そういうものが気候変動の伏線になっているんだ、とやはり訴えなきゃいかん。そんなふうに思いますね。

ただし、それぞれの世代が社会の中で享受してきた社会環境というものがあります。つまり、高度成長の意識のマイナス面を伝えることは、その次の世代がそれを目標として生きることに否定的になってしまう。この辺が難しいですよね。要するに、我々の世代はいい思いもしてきた。だから「お前らさんざんいい思いをしてきて何を言うか」と言い返されてもしょうがない。でも訴えなきゃいけない。そういう難しさを感じます。

池上　世代の話で言うと、年金もそうですね。「あんたたちはいいよ、もらえるから。でも俺たちは……」という話になる。今、いろいろな世代間の対立が起きています。

保阪　世代間の社会環境の違いから起きている対立だとすると、論理的にはそれを解決する方法はないでしょうね。だから、世代間の対立を含んでいる問題については、結局は「ヒューマニズムを理解してくれ」と訴えるほかない。それでも「お前たちの勝手な言い分だろ」と言われるかもしれませんが。

肥満した中国の小学生

池上　これだけ温暖化が進んで、日本でも巨大台風とか大洪水とか、観測史上初めてという自然災害が次々と出てくると、今の若い人たちもなんとなく命の危険を感じているでしょう。それが気候変動対策を進めるパワーになり得るのではないでしょうか。

保阪　先ほど「欲望を軸にした循環」という話をしましたね。それに関連するのですが、2019年に1週間ほど沖縄の現状を取材した時に、沖縄のお医者さんから聞いた話が印象的でした。「保阪さんのような沖縄の70代、80代の人たちはあまり亡くならない。沖縄で死亡率が上がっているのは50代、60代の人たちです」と言った。「どうしてですか」と尋ねると、「彼らはコカコーラ、ハンバーガー、スナック菓子ばかり食べて育ってきたから体の生命力が衰弱している。そういうものを食べていないその上の世代のほうが長命なんですよ」という答えでした。

これは何も沖縄だけの話ではなくて、日本全体、人類全体にそういう傾向があるでしょう。つまり、化学製品を使った食品の一般化からくる問題が生命に直結しているということが明確になっているわけです。しかし、作っているところにやめろというわけにもいかない。それにどういう対応策があるのか。今まさにレールに乗って進んでいるシステムをどう変えていくのか。その答えは簡単に出ないけれども、変えていかざるを得ないでしょう。

池上 マクドナルドが21年11月、アメリカでヴィーガン向けの肉類を一切使わない植物由来の代替肉を使ったハンバーガーを売り始めた。結構これが人気になっているようです。「健康意識」は進んでいると言えるかもしれませんが、焼け石に水のようなものですから、システムを変えるところまではつながらないでしょうね。

保阪 アメリカの低所得者層では、異様な太り方をしている人たちが目立ちます。食べているのがスナック、ジャンク商品ばかりだからだと言われています。結局、人間が自然と離れたかたちで食生活を進めると、そうやって目に見えるかたちで問題が出てくる。アメリカはそれが顕著ですよね。これから中国でもああいう低所得者層の太り方が目立ってくるのではないでしょうか。

池上　中国は一人っ子政策をずっと行ってきました。一人きりなので甘やかして、子どもが欲しがるままにジャンクフードを与えてしまう。だから、もう十数年前から子どもの肥満が問題になっています。大人はそうでもありませんが、今、中国の小学生の肥満はすごいですよ。

SDGs、EVシフト——経済界の本気度は？

保阪　日本の場合、気候変動やカーボンニュートラルが国政選挙のテーマにはなりません。やはり票にならないからでしょう。

池上　本当に危機意識を持っているのが若年層ですから、そもそも有権者ではない。あるいは投票に行かない人たちなんですね。

保阪　経済界はどうでしょうか。最近、企業がSDGs（持続可能な開発目標）と盛んに言うようになりましたが、その国連が定めた17の目標の中には「気候変動に具体的な対策を」というのも入っています。今は「気候変動対策に敏感な企業ですよ」とアピールすることが、何か企業のプラスになる時代ということでしょうか。

池上　本当に一生懸命やっているところはあります。一方で、「ＳＤＧｓに取り組んでいます」と言わないと、就職活動の時に優秀な学生が集まらないという事情もある。だから「ＳＤＧｓウォッシュ」と言いますが、やっているという「かたち」を作るだけで、実際には何もやっていない企業がたくさんあるわけです。丸の内や大手町では、多くの会社員がＳＤＧｓのバッジを付けて歩いています。それが優良企業のエリート社員の証明になっているんですね。つまり、ＳＤＧｓが単なるブームになってしまっているというのが、特に日本の企業の問題です。斎藤幸平さんも著書の中で「ＳＤＧｓは現代のアヘンだ」と言っています。本当に取り組んでいる企業もあるけれども、だいたいかたちだけと見ていいでしょう。

保阪　昔は「一株運動」で企業の社会的責任を問うようないろんな運動がありました。今の日本で、株主の側から企業の体質を問うような動きはあるんでしょうか。

池上　自民党に政治献金をしている企業に対して、株主総会で「献金をやめろ」と経営者に要求するというような一株運動は、今もあります。最近だと銀行の株主総会で、一株運動の人たちが「地球環境に悪いような事業に金を貸すな」などと要求する動きがありました。大手銀行はそれをかなり意識していて、たとえば三菱ＵＦＪ、みずほ、三井住友は、石炭火力に対する融資の厳格化や融資を行わない方針を表明しています。あるいは、海外で様々な開発を手がけている商社などに対しても、「SDGsに沿った開発以外はやめろ」と働きかける運動がかなり始まっています。

保阪　銀行にせよ商社にせよ、社外取締役みたいなところにそういう運動をしている人を入れる、ということが今後ありそうですね。

池上　実際に21年6月、アメリカのエクソンモービルの取締役に環境保護派が3人も就任することになって、世界的なニュースになりました。石油会社ですから経営陣は嫌がったけれども、投資ファンドが「環境を重視する人たちを取締役会に入れて、温暖化対策の取り組みをしろ」と推薦した。その要求が株主総会で通って渋々入れたわけです。

保阪　いずれ日本にもそういう動きが入ってくるでしょう。たとえば、トヨタのような世界マーケットの企業にとって、環境問題に前向きに取り組まなきゃいけないとなった時の影響は、ひと回り大きなものになるでしょうね。

池上　特にEUは「2035年以降は電気自動車と燃料電池車以外の販売を禁止する」という方針になっています。だからトヨタも相当危機を感じている。今日、日本で何らかのかたちで自動車産業に関わっている労働者は、550万人ほどいます。このうちガソリン自動車、エンジンなどを一切やめて全部電気自動車にすると、100万人の雇用が失われると言われているんですね。これをどうするか。いわゆるEVシフト、世界中が電気自動車へ転換する大きな流れの中で、トヨタはエンジンを残すためにはどうしたらいいかと考えて、水素をガソリンの代わりに燃料として使おうじゃないかと「水素エンジン」を開発してきたわけです。

すでにトヨタは「MIRAI」という水素自動車を製造・販売していますが、これは水素と酸素を一緒にすることで電気を発電して動く燃料電池自動車です。それとは別に、水素そのものをガソリンの代わりに燃やして水しか出ないエンジンを作る。そうすれば、労働者の雇用が守られると考えている。「30年に電気自動車の販売を350万台にする」と発表したトヨタですが、こちらもやり続けると見ていいでしょう。

日本の自動車産業がなぜ優れているかと言えば、エンジンなんですね。日本のエンジンの性能がとてもいいから世界を制覇しているわけです。全部電気自動車になったらバッテリーとモーターだけで、エンジンはいらなくなる。だから、この世界の流れの中には、日本の自動車産業の優位性を削り取るという海外勢の経営戦略の思惑もあると言われています。確かに、電気自動車にすることで日本の自動車産業に壊滅的なダメージを与えようという動きを、どうもヨーロッパあるいは中国を見ていると感じます。

保阪　製造現場で言えば、革命のような大きな変化ですよね。自動車に限らず、これからは革命的変化をしていくことが企業の責任になりそうです。温暖化対策の技術でも、各国が激しくぶつかり合うという場面が当然ながら出てくるでしょうね。

環境問題は、じつは格差問題だった

保阪　所得の層によって環境問題に取り組む姿勢が変わってくる、という面もあります。先ほど話したように健康問題もそうですね。収入の多い人はこういう協力ができるけれども、低所得の場合にはそれができない、あるいはその逆とか。そういう個別の生活状況による影響はどう考えますか。

池上　もう10年以上前から起きている興味深い現象があります。生活協同組合というと、昔はなんとなく社会主義的な低所得者の運動というイメージでした。今の生協（コープ）は全く違います。温室効果ガスの削減を意識したり有機栽培の野菜を扱ったり、「環境や健康に良いものだけを選んで提供しますよ」ということになっていて、当然ですが、その辺のスーパーマーケットよりも値段が高い。結果的に生協の会員の所得は明らかに平均所得よりも高くなっています。ちょっと高くても環境に良いもの、安心なものを買いたいという所得に余裕のある、意識の高い人たちによって今の生協はかなり支えられているんですよ。

保阪 食生活で言えば、現状のマーケットは、健康に良い高い食品とそうではない安い食品に二極化している。その中で低所得者はマーケットに出ている安いほう、不健康な食品を買わされているということですね。

池上 間違いなくそれがあります。健康に配慮ができる人が長生きする。だから結果的に所得の高い人ほど長生きするというわけです。

保阪 温暖化対策をしていくプロセスでも同じようなことが起きるでしょう。やはり一皮むけばいろんな矛盾、いろんな顔がのぞいてくる感じがします。

池上 全くその通りですね。地球温暖化対策に限らず、今の社会が抱える様々な問題に取り組む過程で、特に所得格差に基づく矛盾が露出してくるんでしょうね。だから嫌な表現ですが、「上級国民」なんていう言葉も出てきた。たとえばコロナ禍では、ニューヨークなどでいわゆるエッセンシャルワーカーがたくさん亡くなりました。所得の低い人たちはリスクを冒して働かなければいけないからどんどん感染する。金持ちはリモートで在宅勤務ができるからあまり感染しない。所得によって命のリスクがずいぶん違いましたね。そういう構造があるわけです。

保阪　一方で、変な表現ですが、これから貧富の差と違ったかたちの社会階層の分化みたいなものが起こり得る気がします。たとえば、3・11（東日本大震災）のような地震・津波の問題。あるいは21年7月に起きた熱海市伊豆山地区の土石流のような問題。誰もが平等に被害を受けるという意味では、貧富の差は関係ない。むしろ、地球温暖化によって天変地異がかなり起こり得る中では、それを予測して対応できるような情報を分析する力や社会情勢を見る力による「格差」が生まれてくるかもしれません。

池上　そういう面もあるでしょうが、災害もやはり所得格差と結び付いています。1995年1月17日に阪神・淡路大震災が起きて、その数日後に私は現地に入りました。西宮北口から神戸の中心部までずっと歩いて回ったのですが、阪神電鉄の沿線は壊滅的で、阪急電鉄の沿線は比較的無事なんですよ。阪神のほうは海岸沿いなので地盤が悪く、木造の住宅密集地だから壊滅的な被害が出た。阪急のほうは高台で地盤がよく、一軒一軒の敷地が広くて、それこそ芦屋あたりに行けば全然被害がない。家が壊れても庭にテントを張って過ごしている人もいた。あの時に「地震のような天変地異でさえ、こんなに命の格差があるんだ」と実感しました。

保阪 私も神戸に行って豊かではない地区が集中的にやられている様子を見ました。土砂崩れの被害なども、そういうリスクのある場所を買わざるを得ないというのは、所得格差から来る問題と言えるでしょうね。

池上 2018年7月の広島市の土砂災害もそうでした。市全域が豪雨に見舞われたわけですが、古くからの住宅地は大丈夫だった。被害が大きかったのは山裾の新興の宅地です。見晴らしがよくて広島市内への通勤も便利で、それでいて周りに比べて土地代が安い。やっとの思いでマイホームが持てるという人たちが買って住むのは、結果的にそういう災害リスクのある場所になってしまうわけです。

保阪 所得が命に直結する。結局、人類はそれを繰り返しているから、常に社会はその問題を抱えている。ただし、これからはより顕著な現象が出てきそうです。

池上 確かに地球温暖化が進めば進むほど、水没する危険とか災害に弱い街に住んでいるとか、所得格差が命の軽重に関わってきますね。

逃げ切れる世代と次の世代

保阪　地球温暖化対策は、よく言われるように一国だけでやっても意味がない。そこがまた難しいところでしょう。

池上　世界全体がどうやっていくのか。SDGsで言うと、「働きがいも経済成長も」という目標の中には「2025年までにあらゆる形態の児童労働を終わらせる」というターゲットが示されています。たとえば、途上国の経済成長のためにファストファッションやスニーカーなどをそこで全部作ってもらう。でも、それが児童労働であったらSDGsになりません。つまり、それぞれのメーカーが海外に発注する際には海外の工場でどうやって作られているか、そこまで責任を持たなければいけないというわけです。

温室効果ガスの削減も同じなんですね、たとえば、日本で温室効果ガスの排出量を減らして製品を作っているとしても、海外から部品を輸入している場合、部品の製造過程や輸送の際に大量に温室効果ガスを出していたら、思うようには減らないんですね。まさに一国だけでは意味がない。どこでどのように作られ運ばれるのか、サプライチェーン全体のトータルで温室効果ガスの排出を考えないといけないわけです。その仕組みをどう作るか。難しい課題ですが、それをやっていかないとダメでしょう。

保阪　「脱炭素なら、やはり原子力発電だ」という人たちもいますね。私は、原発そのものは段階的に縮小ないし廃止していくべきだと思う。ただ、一回作ってしまった原発をいきなり止めるのがなかなか難しいこともわかる。だからきちんと向き合って、うんと根本的な議論をして決めなきゃいけない。同時に我々の日常の電気の使い方、消費量とかも総合的に考えないといけないでしょうね。

池上　ドイツで環境保護運動が盛り上がる、あるいは緑の党が躍進するきっかけになったのは1986年のチェルノブイリ原発事故なんですよ。チェルノブイリ原発の放射性物質が東風に乗ってドイツの上空を通り、イタリアまで行った。あれでドイツの山林や野原などが相当汚染されました。ものすごく危機的な状況になり、緑の党が大きく躍進することになったわけです。

ドイツは緑の党が連立政権に入っていた2002年、段階的に原発を止めるという法律を可決しました。その後、緑の党が連立政権を離脱し、10年にはメルケル首相の下で原発の運転を延長する法律を可決した。ところが11年、東日本大震災の福島原発事故を見て、再び脱原発を決めます。当時、メルケル首相は「日本ほど高い技術水準を持つ国でも過酷事故を防げないのだから、私は責任を持って原子力エネルギーを使用し続けることができない」と言いました。ものすごく日本を高く評価していたんですね。ただ、直ちに止めるわけではなく、今ある原発は運転をしながら40年という寿命が来たらそれを廃止する。新たなものは作らない。長期的に見て安楽死させるという方針です。

ドイツが「フクイチ」に学んだのだから、日本もそういうやり方をしていかないといけないでしょう。使用済核燃料の処理も困難な状態になっていて、たまり続けています。これを考えたら新たに原発を作ってやっていくというのは非現実的だと思いますね。

保阪　今のところ日本は気候変動に関して鈍感な感じがします。正直言って、温暖化問題に対して「エース官僚」を送り込んできちんと段階を踏んでやっていこうとしているとは思えない。COP26の岸田首相の演説に対して環境NGOが後ろ向きと評価して、皮肉を込めて「化石賞」を贈りましたね。そういうのを見ても、何かお茶を濁している感じがする。官僚の人たちにすれば、やっても別に得することがないという計算があるのかもしれない。その都度その都度の付け焼刃で状況が固定化されるのか、また先送りなのかと思ってしまいます。

ただ、政権の関心、あるいは社会的関心が低くても、具体的に温暖化の情報を知れば、かなり危機的な状況にあると理解せざるを得ない。そうすると当然、自分の生活の中で何ができるかを問うことになる。逃げ切れる我々の世代にしても次の世代に対して責任があるんだから、何か対策に協力する生活規範を自分なりに作って実践していきたいと思うはずで、私もその一人です。年寄りの欲望も何もないような生活規範が若い人たちの模範になるかどうかわからないけれども。

池上　本当に些細《ささい》なことですが、たとえば、石炭火力に融資している銀行に預金しないとか、できますよね。あるいは、スーパーマーケットで商品を選ぶ時。これはどこでどう作っているのか、製造ラインを含めて、きちんと商品の表示を見て買う。私はコーヒー好きなんで、コーヒー豆を買う時には「フェアトレード」をかなり意識します。日常の様々なところでちょっとでも意識していくことが大事だと思います。そして、そういう公約を掲げる政党なり政治家なりを伸ばしていく。あるいは企業に対してもそういうことを要求していく。一国だけでやっても意味がない一方で、自分でできることは案外、たくさんあるんですよ。

第5章　リーダーの器

G7首脳会合記念撮影。左から３人目に岸田文雄首相＝2022年３月24日、NATO本部・ブリュッセル

東条英機内閣の記念撮影。帝国議会開院式後＝1943年６月16日

混迷の度を深める国際情勢のもと、どんな政治リーダーがふさわしいのか。たとえば、アメリカとの対決を厭わない中国と向き合う日本の政治家に求められる資質とは？　パンデミックで明らかになったリーダーに不可欠な言葉の力とは？　史上の名指導者に共通する特徴とは？

米中対立の根源——トゥキディデスの罠とトルーマン・ドクトリン

池上　ここまで「ウクライナ危機」や「格差」、「環境」など今日の世界的課題、そして日本の問題について、「歴史の潮目」という視点を交えて、近現代史を振り返りながら、これから国際社会や日本社会がどんな方向に進むのか議論してきました。

今、世界中が固唾を飲んで見守っているのがロシア、ウクライナ、NATO諸国の動き、そして背後のアメリカと中国の動向です。最後には、この2大国家が戦争の帰趨《きすう》を決めるかもしれません。こんな時こそ、政治リーダーが優秀かどうか、その器量が問われます。

リーダー論の前提として、まずは世界の覇権争い「米中対立」の根源を取り上げることにしましょう。

こうした国家間の緊張関係について、アメリカの政治学者グレアム・アリソンが「トゥキディデスの罠」という言い方をしています。紀元前5世紀、古代ギリシャでアテナイが急激に勢力を伸ばしてきた時に、それまで覇権を握っていたスパルタが危機意識を持って、新興国のアテナイを抑え込もうとして戦争になった。30年近く続いたペロポネソス戦争ですね。その様子を記録に残したのが当時のアテナイの歴史家トゥキディデスという人でした。日本では『戦史』や『歴史』という本になっています。

つまり、覇権を握っている既存勢力に対して挑戦する新興勢力が伸びてくると、危機意識を持った覇権国が新興国を抑え込もうとして過去にたびたび戦争が起きてきたんだ、とアリソンは歴史を分析してトゥキディデスの罠と表現した。いずれそれが米中でも起きるだろうと、著書『米中戦争前夜――新旧大国を衝突させる歴史の法則と回避のシナリオ』（ダイヤモンド社、２０１７年）などで警告していたのですが、特に20年、コロナのパンデミックで一挙にその危機が進んでしまったんじゃないかと思います。

コロナ以前、中国がとりわけ大きな力を持ってくるのはもう少し先ではないかと言われていました。けれどもコロナ禍によって世界中が疲弊してしまった。一方、中国はそれを抑え込んだ。結果的に中国は大変強い力を持ち、それで南シナ海でも東シナ海でも大きな力を持つようになって一気に緊張が高まったというわけです。

ペロポネソス戦争は、軍事国家であるスパルタに対して民主国家のアテナイが伸びてこようとするのを叩きました。今日の米中の対立は、民主国家のアメリカに対して急激に勢力を伸ばしている「独裁国家」の中国を、危機意識を持ったアメリカがなんとか抑え込もうとした。結果、米中の対立ということになり、さらには21年12月にバイデン大統領の主宰で「民主主義サミット」が開かれたように、アメリカは世界各国に対して「お前はどっちにつくのか、態度を鮮明にしろ」と迫ってきたわけですね。

これ、第二次世界大戦後にできた「トルーマン・ドクトリン」に似ていると思います。ソ連を封じ込めようとして、当時のアメリカの大統領ハリー・S・トルーマンは、世界を社会主義国とそれ以外の国に分けた。つまり、単純にアメリカにとって「良い者、悪い者」に分けたわけです。それ以降、アメリカの外交姿勢は、アメリカの味方をする親米国家であれば独裁国家であろうがなんであろうが構わない。一方で、反米、ソ連寄りということであれば、たとえ民主的な国であっても叩き潰すというものになります。たとえば、チリがそうです。チリで民主的な選挙によって1970年にサルバドール・アジェンデ政権ができた。でも社会主義政権だからとCIAを使ってクーデターを引き起こさせ、これをひっくり返しました。

米中の対立だけでなく米ロの対立なども、トルーマン・ドクトリンの現代版が世界で展開されているように、私には見えるのです。

「最後の戦争」の始まりか、石原莞爾の予言的中か

保阪　私は、中国とアメリカのさや当てをどこかシニカルな気持ちで眺めているのですが、似ていると思っていたのは石原莞爾の「世界最終戦」の構想なんですね。

池上　おー、なるほど。

保阪　石原は大正時代に、東洋文明を代表する日本と西洋文明を代表するアメリカが世界の覇権をめぐる最後の戦争をやって、そのあと人類は静寂、平和になるんだという内容の講演をまとめた『世界最終戦論』という論を考え出しました。彼は日蓮宗の信者でしたからその影響もあるのでしょうが、軍人でありながら、もう昭和の初めには、そういう内容の講演をよくやっていたし、「東亜連盟」という団体も1939年に作って、日本と中国の連携を図っています。

そんな石原の根源にあるのは、日本とアメリカの覇権争いは結局、東洋文明と西洋文明

という文明の争いだという思想でした。1934（昭和9）年、講演の折に、確か大阪だったと思います。当時、軍人の講演は禁止されていたはずですが、彼は特別扱いだったのでしょう。その時に「石原さん、あんたの言う世界最終戦はいつ起こるのか」と質問された。石原は「50年先だろう」と答えたんですね。当時の50年先は1984年です。そこで世界最終戦が起こると予言した。彼のことだから一切根拠なしというわけではないかもしれない。おそらく人類の武器の発達史とかも考慮したでしょうね。

東洋のチャンピオン、西洋のチャンピオンを決めるトーナメントみたいな戦争があって、お互いの領域から出てきた日本とアメリカが衝突する。その決勝戦が50年先、1984年と言ったのは、かなりラフな見方ですが、すごく興味深い。これは図らずも例の……。

池上　ジョージ・オーウェルの『1984』ですね。

保阪　そうです。50年というのは一つの単位として言ったのでしょうが、そういうものと符合するというのは面白いですよ。ただし、東洋代表は日本じゃなく、結局は中国だったということでしょう。中国が1984年から40年ほど遅れてアメリカと覇権争いをしている。あとは戦争になるかどうか。それはあり得ないと思うけれども、ただ東洋文明と西洋文明が衝突しているとは言えるわけです。そういう時代の到来を予見する力が石原にあったとしたら、それは軍事を突き詰めて分析していた人から生まれてくる一つの論理の力だったのではないでしょうか。

それから、私は宗教を持っていないので宗教的なことは軽々には言えないのですが、日蓮が書いた『立正安国論』というのがどうも石原の根幹にはあるようです。つまり、石原の「世界最終戦」の構想は軍事的な論理の他に、『立正安国論』に基づいた日蓮主義による統一という宗教的な信念でもあるだろうと思います。

考えてみれば、私たちは共産主義に対して若い時期のある瞬間、シンパシー（共鳴）を持ちましたね。そのシンパシーの実態は、共産主義そのものの現実を知っていたわけじゃなくて、共産主義というもの、社会主義というものが資本主義より一つ進んだ段階だと、あくまでアカデミックな教養として知識として理解したものでした。もちろん、それを実践の中で確認するという人たちもいます。私はそこまでシンパシーを持たなかった。しかし、宗教の、信仰に基づく見方も共産主義に基づく見方もいわば「原理主義」ですから、現象の捉え方の一つとして、いつの時代でも起こり得るものだと言えるでしょう。

また、中国の外務省報道官がアメリカに対抗して「どのような民主の道を取るかは、その国の人々が選ぶべきだ。我々の民主は中国式の発展段階で進んでいるんだ」というようなことを言いました。民主主義の正統争いなんていうことに中国が入り込んでくるというのは面白いけれども、共産主義を志向する中で、民主の発展段階などと言うのは、かなり矛盾があると思います。中国が言っている民主の最大のウィークポイントは、やはり共産党の指導者が国民に選ばれていないことです。彼らはそれを否定する論理を言いますが、基本的には選挙という国民に選ばれるかたちではない。それでいてアメリカに「お前たちの民主主義とは違うんだ」と言う。こういう中国の論理は基本的には説得力を持たないでしょう。

そもそも共産主義そのものが、中国文明の中で咀嚼《そしゃく》されて出てきたものではないわけです。結局、中国は共産主義を自国の文明とどう絡ませていくか、ずっと試行錯誤してきたのではないでしょうか。今も何か考えているはずです。その意味でも、中国が民主主義と言っても説得力を欠くんですね。

台湾への強硬姿勢は中国のコンプレックスの表れ

池上 民主主義の正統争いということで言うと、私たちは「アメリカの民主主義こそが素晴らしいんだ」となんとなく思ってきましたよね。日本で言えば、戦争に負けてアメリカから教わった戦後民主主義。私なんかも「これこそが民主主義だ」と育ってきたわけです。なんとなく戦後民主主義こそが正しいんだ、経済が発展していけばやがて世界は民主主義になるんだ、と漠然と思っていた。

特に1989年から91年にかけて、ベルリンの壁が崩壊し、ソ連が崩壊した時。日本の元号で言うと昭和の終わりから平成の初めですよね。私たちはやはり民主主義が勝つんだと思いました。そして当のアメリカは、いろんな国・地域に対して勝手に民主主義を広めようとしてきた。イラクにしてもアフガニスタンにしてもそうです。

ところが、結果的にそれは根付かない。となると、「あれ、これって本当に民主主義なんだろうか」という疑いが出てくる。「ちょっと待てよ」と。アメリカは民主主義を広めようとするけれども、結局うまくいかないじゃないか。単にアメリカの民主主義を押し付けているに過ぎないんじゃないか。そういう不信感を持つようになって、一方で、ヨーロッパのいろんな国の民主主義を見ると、「アメリカとは違う民主主義があるんじゃないか」と思うわけですね。

そういうアメリカの民主主義への不信感、懐疑が世界の中で広がってきた時に、中国が「こういう民主主義もあるんだ」と言い出した。保阪さんがおっしゃるように、これのどこが民主主義なんだという話なのですが、共産党においては、たとえば「民主集中制」という考え方があります。共産党の内部では、最初はみんなで徹底的に話し合いをして、こうだと決まったら全てそれに従わなければいけない。これが本当の民主主義だ、というものです。要は「決まったことにいちいちうるさく言うな」ということなのですが。

つまり、マルクス・レーニン主義というのは科学的社会主義であり、歴史の流れをきちんと分析している科学的なものなんだ。だから全て正しい。階級闘争によって革命が起きるというのも正しい。それを体現していて実現しようとしている中国共産党は常に正しい。実際は違うのですが。それはともかく、正しい方針に基づいて国民に理解を求め、みんな「いいよ」と言ったんだからそれに従いなさい、これが民主主義だ、というのが中国風の民主主義なんですね。

でも、保阪さんが指摘するように選挙が行われていない。選挙で選ばれていないというのは、やはりコンプレックスや引け目になっています。たとえば1996年に、88年から台湾の総統だった李登輝が初めて、一般の台湾の人たちの投票で総統を選ぶ直接選挙を行った。それまで台湾の総統は、大陸にいた頃に国民大会の代議員が選んでいたので、台湾に逃げてからもそれがずっと続いていました。ただ、ずっと大陸で選ばれた人たちが代議員だったので、どんどん高齢化してきたわけです。会議に出るのもやっとだったり居眠りしていたりという状態になった。それで李登輝が代議員を引退させて、直接選挙で総統を選ぶようにしたわけです。

その時に中国が「台湾独立の動きだ」と猛烈に反発しました。ミサイル発射の軍事訓練を行って台湾に脅しをかけた。つまり、住民からの直接選挙で選ばれると政治的正統性を持つ。それに対して共産党が強い危機意識を持ったわけです。要は、中国は自分たちに正統性がないことは薄々わかっているから、そのコンプレックスや引け目がある。それが今でも、とりわけ台湾に対する強硬な態度につながっている、と私は見ています。

保阪　私は90年代、台北市に何度か行って、国民党が日本と戦った時の戦略はどういうものか、当時の将軍や蔣介石の次男の蔣緯国に話を聞いたことがあります。中国に対する彼らの考え方は基本的には大陸反攻。つまり、台湾から共産党政権を打倒して中国を統一するという蔣介石の路線ですね。それを蔣介石の長男で総統になった蔣経国も継いだ。じつはそのこと自体、「中国は一つである」という原則を国民党が認めていたことを意味します。しかし、蔣経国が亡くなって李登輝が登場すると、国民党の中から分派活動が起こって独立派が力を持っていく。その段階から中国の対応がかなり変わってきます。

たとえば、それまで中国の共産党は「四大家族」を不倶戴天の敵としていました。国民党の四大家族、軍の蔣家、党の陳家、財政の宋家、道徳倫理の孔家という実権を握っていた四家の一族を徹底的に排除してきた。ところが独立派が力を持ってくると、逆に彼らをとても優遇し始める。今、その四家は中国の北京では、ある意味ものすごく高く評価されています。蔣介石の伝記も十数年前から北京の書店に並んでいて、「これはこれで愛国者だ、民族主義者だ」という評価になっているわけです。

中国では、共産党と国民党がずっと戦っていて、そして共産党が勝ち、49年10月1日に毛沢東が中華人民共和国の建国を宣言しました。つまり、今の中国は共産党が作った国家です。だから、とりわけ絶対に許せないと言ってきたのが27年の蔣介石による「上海クーデター」です。確かに蔣介石は、共産党員を街で見つけたらその場で撃ち殺すといった酷いことをやりました。そういう憎しみを超えて、蔣介石を自分たちの側の民族主義者だと捉えているわけです。最終的には「蔣介石は我々の同志なんだ」と言い出すのではないかという感じさえします。

文化大革命に騙された日本の学者たち

池上　保阪さんがおっしゃったように、中国共産党が国民党への態度を変えたのは李登輝以降ですよね。つまり、それまでは国民党は敵だった。けれども、李登輝によって台湾が独立しようとすると、それに対しては「やはり中国は一つだ」と言って、国民党を押しとどめなければいけない。そういう時に「国共合作」の歴史が呼び出されるわけです。「かつて一緒になって日本と戦ったじゃないか。我々はある種の愛国者である」と。

特に日中戦争についての中国共産党の分析が変わってくるんですね。李登輝以前は中国共産党が日本と戦っていたんだと言っていたのが、李登輝以降は国民党の役割をポジティブに評価するようになった。実際、真正面から日本と戦ったのは国民党で、共産党は後ろ

「建国の父」毛沢東の肖像の上に姿を見せた歴代主席ら。中国建国70周年の祝賀式典で。前列左から２人目に習近平国家主席＝2019年10月１日、北京

にいただけです。その意味では、かなり正直になったのかもしれません。国民党も一生懸命日本と戦ってくれたんだという言い方で、国民党に秋波を送るという傾向が出てきたのですから。

保阪　こうした中国の態度は、台湾の独立派を徹底的に牽制していくための一つの方法だとは思います。一方で私には、そういうやり方が共産党の戦略に原則があるわけじゃないことを示しているように見える。ただし、台湾独立の勢力に対抗するために、原則さえも崩していくというのが共産党の一つの戦略かもしれない。中国の戦略は、私たちのわかる範囲とわからない範囲があって、なかなか読み抜けないいんですね。

たとえば「習近平が毛沢東になろうとしている」とよく言われますが、その分析の中身を見ると、中国の指導者は指導者になると必ず王朝を作りたがる。だから習王朝を作ろうとしているという程度だったりします。しかし、毛沢東の失敗を彼らは知っているはずですね。そこはどうなのかなどの分析がないわけです。中国をきちんと分析する力を私たちの国はそれほど深く持っていないいんじゃないかと心配になってしまいます。

池上　中国問題グローバル研究所の遠藤誉《ほまれ》さんは、中国でかなり悲惨な思いをして命からがら逃げてきたということもあり、相当ディープなところまで分析していますよね。昔は親中派か反中派か、学者がはっきり分かれていた。そういう時代があって、今もそういう人たちはいるけれども、最近、中国についてきちんと客観的に分析する学者がだいぶ出てきたな、という印象を持っています。

保阪 分析する内容も深くなっているんでしょうか。

池上 そうだと思います。私より少し上の世代は文化大革命（66～76年）にコロリとやられてしまった。当時、日本からは文化大革命が素晴らしいものに見えました。「魂に触れる革命」とか言っていたでしょう。「肉体労働と知能労働は一致しないといけない」といったスローガンが理想的に見えて、騙された人がいっぱいいます。最近は、そんなふうには騙されず、客観的に中国を見る学者が出てきたという気がします。

労働者のことを考えない中国共産党の矛盾と恐怖

保阪 私は、内務省出身で中曽根康弘政権の官房長官だった後藤田正晴さんの評伝を書いたことがあって、3年ほど取材したので彼と割と深く付き合いました。90年代の終わり、彼は日中友好会館の会長だったのですが、その最上階に呼び出された。そうしたら「中国でわしのことは知られていないから、何かいい本はないかと中国側から聞かれた。新華社で訳すと言うから君の本を推薦しておいた」と言うんですね。それで私が書いた彼の評伝が中国で出版されました。

そうしたら後日、中国政府が私を招待すると言ってきたわけです。「どこに行ってもいい、編集者を連れてきてもいい」という話だったけれども、後藤田さんのところに相談に行った。彼は「行ってこい」と即答でした。「でも僕は共産主義が嫌いなんです」と言ったら「好き嫌いの問題じゃない。一回見ておいたほうがいい」と。「台湾に何度も行っていますが、大丈夫ですか」と聞くと「問題ない」と言う。それで中国に行って、2週間ほど旧満州を中心に見て回ったんですね。

その時に驚いたことはたくさんありますが、特に印象に残っている話を三つほど紹介しますね。まず北京に入ってから長春や大連に行ったのですが、北京で中日友好協会の副会長だった王效賢というおばさんと食事をしました。彼女は周恩来・田中角栄会談の通訳をやった人です。華僑の子で、きれいな関西弁を話していました。彼女が食事しながら「この旅ではどこへ行っても挨拶の時に三つのことに触れてください。一つは日本の侵略を認めること、もう一つは侵略を繰り返さないと意志表示をすること、それから中国は一つであると認めること。これを絶対に守ってください」と言うんですね。

また旅行中、私たちには4、5人の共産党幹部が付きっ切りでした。私よりも少し年下で、みんな40代です。「なんで共産党に入ったの?」と尋ねると、「大学の成績が良かったから共産党員になった」という答えでした。「成績が良くなきゃ共産党に入れないの?」と聞いたら「学生時代に成績が良かったら、誰でも政府の仕事をしたいと思うんですよ」と。これも驚きました。

あと、長春でも大連でも党の委員会の建物に人がたくさん集まっていたのが印象的でした。随行していた幹部に「何のため?」と尋ねたら「失業した人たちが職を紹介しろと来ている」とのこと。「職安みたいなものはないの?」「あるけど、党の紹介が欲しいんですよ。勉強しないで若い時に遊んでいるとああいうことになるんです」。「彼らはどうなるの?」と聞いたら「だいたい男は泥棒、女は売春ですね」と言い放った。党の幹部は大衆をそういう目で見ているのかと、これにもびっくりしましたね。

共産党は労働者のためという建前とは別に、党員がエリート化して権威化し、大衆を支配しているということがよくわかる。そう言うと彼らは怒るけれども、基本的には昔も今もその構図は変わらないでしょう。とするならば、中国は自己矛盾を抱えながら社会が発展しているわけです。中国の発展の仕方は、アメリカと対抗するために政府が徹底的にサポートしますが、要は、大衆を駒として使うということなんですね。

結局、中国の歴史発展は共産主義に名を借りたある種の封建制度の矛盾をそのまま国家資本主義化しているに過ぎないと思います。だから、そこから出てくる指導者は当然ながらそのレベルであって、労働者のことなんか考えない。そんな中国の怖さがこれから現実化してくるのではないか。そういう気がします。


池上　共産党のエリート化はもともとある話ですよね。つまり、前に触れたレーニン主義の「外部注入論」です。マルクスが資本主義を分析して、労働者が搾取をされ、やがて労働者が革命の主体となって革命が起きると言った。でも放っておいても革命は起きない。だから一握りの目覚めたエリートが前衛党を作って、目覚めていない、遅れている労働者を指導する。これが外部注入論、前衛党論です。

まさに中国においても同じことが起きているんじゃないでしょうか。意識の低い労働者たちをエリートの共産党が引っ張っていく。そもそも前衛党とはそういうもので、結果的に労働者を上から目線で見下すという連中が生まれてくるのだと思います。

それは日本共産党でも同じことではないでしょうか。我々は目覚めている、前衛党であって遅れている連中を引っ張っていかなければと。そして選挙で党勢が伸びないと有権者、国民が間違っているんだと。そういう発想がどこかに残っているのではないか。そんなふうに見えます。

中国ではそれが封建制のようなものと、うまくというか、変に結びついてしまっているのでしょうね。レーニン主義の外部注入論、前衛党論が中国伝統の封建制と結びついた結果がこうなっているのではないかと思います。

保阪 中国は5年先、10年先、どうなっているか。このままの体制を徹底していったら相当怖いですね。

池上 それは怖いでしょう。まさに『1984』のディストピアですよ。全てをビッグブラザーが監視するという国家。こんなこと技術的に無理だと思って読んでいたけれども、AIが出てきて今まさにそれができてしまったわけです。『1984』のディストピアがAI、ICTの技術を使って実現しつつある。すごく怖いことですよね。

レーニンの『帝国主義論』を読むと、中国の実像がわかる

保阪 中国のことでもう一つ言えば、鄧小平の発展段階論というのがありました。うんと発展しているところが遅れたところを引っ張っていく。平等に進んでいくというより、発

展するならそこだけ先にどんどん進んでいけという考え方です。その通りに、北京や上海などの象徴的な都市の発展は、資本主義そのものの最先端を走っているように見えます。
ただ最先端であるがゆえに、病的な現象も生まれていると思う。昔、元外相の渡辺美智雄が「中華人民共和国は政治が悪いから、穴を掘って住んでる人がいる」と言いましたが、格差の酷さ、民族の差別・弾圧といった問題ですね。それは20世紀の論理から見事に外れていて、矛盾そのものでしょう。でも、それを隠蔽する。それで「世界は中国を理解していない」というような、極めて中国的な論理を前面に出してくる。そして経済力を持っているから「この論理を認めないと……」と相手方を縛っていくわけです。こういう今の中国のやり方は、かつての先進帝国主義の道筋とかなり似ていますね。

池上　今の中国を見ていると、本当に古典的な帝国主義そのものになっている気がします。というのもレーニンの『帝国主義論』を読むと、帝国主義とは高度に発達した資本主義国が過剰資本を抱えて、つまり豊かになり過ぎてしまって、過剰資本の処理に困って対外的に進出していくことである、海外の植民地に投資をしていくのは過剰資本の輸出である、というふうに書いていています。まさに今の中国の「一帯一路」そのものでしょう。レーニンが規定した帝国主義そのものに今の中国はなっているのではないか。中国共産党は「共産主義だ、社会主義だ」と言っているけれども、実際は古典的な帝国主義そのものなんだと考えたほうがいいと思いますね。

保阪　そういう中国に対して、日本の指導者はそれをきちんと分析した上で対抗する、あるいは同調する政策を立案・実行する能力を持っているかどうか。その辺のメリハリを持てる指導者を日本が生み出せるかどうか。まさに大問題だと思います。

レーニンが言った「過剰資本のごまかし」という帝国主義の論理が今の中国に当てはまると考えると、歴史の回帰性や歴史の発展などといろいろ変わるようなことも言うけれども、きちんとした論理を持っているマルクスとかレーニンとかは、やはり基本のところを見抜いていたわけです。そのことに気づくと、現実や将来を見抜く目というのはやはり古典の中にあると思えてくる。つまりリーダー論で言えば、古典を読む力があるかどうかというのも、重要なファクターと言えるでしょう。

さて、今日の日本の指導者はそういう力を持っているか。むしろ明治維新の指導者たちが外国からいろんな思想を学ぼうとした時の読書熱、理解する力のほうがかなりレベルは高かったと改めて思いますね。

ちなみに昭和30年代、哲学者の鶴見俊輔さんが私の通う同志社大学に来て授業をしたことがあります。その授業の中で「日本語の正確な訳について」というテーマのレポートの課題が出た。私も出席していたので「新聞は単純に帝国主義という言葉を使うけれども、全部作家の言葉の引用で、強いものが弱いものを押さえつけるという見方をしている。しかし、レーニンの帝国主義論の言葉で分析しなきゃいけないんだ」というようなことを書いて提出した。学生なのでそんなものですが、鶴見さんは84点くれました（笑）。

池上　マルクスやレーニンを読んだほうがいいと言うと、「お前、共産主義者か」なんて思う人がいるかもしれない。でも『資本論』を読めば、資本主義の分析がよくできているとわかりますよね。「格差や人間疎外をもたらす」といった記述は本当にそうだと思う。だからと言って共産主義革命をすればいいわけじゃない。マルクスの分析を援用しながら、助けを借りながら今日の状況を分析していく。私も久しぶりに『帝国主義論』に目を通したら、本当に今の中国そのものだと感じました。レーニンを読むことで、そもそも帝国主義とはどういう定義なのかがわかり、今の中国のことがよりよくわかる。古典はそういう使い方ができると思いますね。

戦後民主主義の宿題は「アメリカン」を取ること

保阪　中国式の民主主義に対して、私たちの戦後民主主義はアメリカ式の民主主義、つまり「アメリカン・デモクラシー」とほとんど同じ意味に解釈することができます。これは今も私たちの国の一つの国是に近い状態になっていますね。

ただし、我々の世代にとっては「アメリカン」を取れるかどうかが重要な宿題でした。つまり、デモクラシーというものが持っている多様性を実現できるかどうかという、その普遍性に関わる宿題です。結局、我々はアメリカンを取れなかった。これについて、たとえば政治学者の白井聡さんは「国体が天皇からアメリカに入れ替わっただけじゃないか」と「永続敗戦」という言い方で大きな問いを発しています。

戦後民主主義というアメリカンの枠の中で動くことによって、私たちはジャパニーズ・デモクラシーとは言わないけども、デモクラシーの普遍性に近づく力を試されたわけです。けれども「結局、ダメだった」と回答せざるを得ない。そう私は考えています。

なぜ我々にはアメリカンを超えて普遍性に近づく力がなかったのか。そもそもアメリカン・デモクラシーが勝者のデモクラシーだからだと思う。つまり、それは勝者の権利が保障されるものであって、勝者の側に入らなかった場合、むしろかなりマイナスの制度として、マイナスの思想として私たちの首を絞める枠組みと言えるでしょう。

アメリカンを取ったかたちでデモクラシーの在り様を論じることが、私たちの社会の中に戦後80年近くなかったせいで、私たちの国のデモクラシーの論理の不毛性が続いているのではないでしょうか。今もアメリカンの枠組みを超えていく力が試されているという感じがしますね。

池上　確かに日本の民主主義は自分たちで勝ち取ったのではなく、アメリカから与えられたものと言えます。日本でも民本主義、大正デモクラシーと、それなりに内発的な民主主義の動きはあった。けれども結局、戦争で負けたことによってアメリカに「これが民主主義だよ」と言われて、みんなで「ははー」と拝んだようなところがあります。

でも、大統領選挙などアメリカの選挙を取材していると「この国の民主主義は怖いな」と思うことがあるんですね。たとえば、アメリカはあらゆる公の役職のトップを選挙で選びます。市の警察本部長、あるいは州の地方検事。田舎に行くと保安官事務所の保安官も選挙で選ぶ。制服を着る警察官は普通に採用されますが、トップは必ず選挙で選ばれる。アメリカは二大政党制ですから、大統領から田舎の保安官まで共和党が取るか民主党が取るか、全てに党派性が出てくるわけです。

「全部選挙で決めればいい」というのは、一見民主主義で素晴らしいことのようだけれども、結果的に警察まで民主党か共和党かによって動く。これは怖いことだし、考えなければいけないことだと思う。そういう意味で言うと、ヨーロッパ的な民主主義はアメリカの民主主義とは全く違うんですね。

保阪　私は、一概にベストとは言えないけれども、やはりイギリスを範とすべきだと思います。ただ日本に限らず、どの国もイギリスほど知的な熟成度が歴史的な含み資産として残っていないから、なかなかイギリスのような民主主義のかたちを作るのは難しい。もちろん、イギリスで知的な熟成度を持っていない人もたくさんいますが。

私は朝日新聞で書評委員をやっていますが、海外の本を読んでいて、世界の論理というものの知的なレベルを牽引していく本は、オックスフォード大学とケンブリッジ大学の出身者や研究者が書いているなと感じます。その理由を考えると、主には1300年代から大学が出来上がっていて、その含み資産がずっと続いているからでしょうが、どちらも共産主義を毛嫌いするんじゃなくて徹底的に学んでいることが大きいと思う。中にはスパイになってしまった人もいますがね。ともかくマルクス主義を徹底的に学び、学問の領域の中に組み込んでアカデミズムの側で咀嚼して、次の世代に伝えていく。そういう姿勢があるから、世の中に新しい価値観を提示する本がイギリスに多いのでしょう。

それに比べてアメリカは違いますね。多いのはプラグマティックな本、あるいはマーケット調査の挙句の本です。アメリカの学者でも深みのある本を出すのはイギリスで学んできた人たちが多い気がします。「七つの海を支配した」と言われたイギリスですが、知的な領域でも、それを牽引する論理分析を提示してきたと言えるわけです。

イギリスに長くいたわけではないし、安易には言えませんが、いろんなかたちの歴史書や文明書を読んでいて、イギリスの知識人の書いたものは世界のトップレベルだと思います。アメリカはもちろん、フランスもそのレベルに達していない。中国もロシアもまだまだ。日本も全然そこまで行っていないと感じますね。

イギリスの政治リーダーの育て方に学ぶ

池上　イギリスはリーダーを養成する仕組みが備わっていると思います。具体的には特に二つあって、一つは地方も全部、議会制民主主義であること。日本は、都道府県知事を直接選挙で選びます。アメリカ風ですよね。戦前、知事は官選知事であくまで内務省の役人が務めるというかたちになっていました。それが戦後、アメリカがそうだからということで、知事と都道府県議会議員は別々の選挙制度、二本立てになった。私たちはなんとなくそういうもんだと思って、今日までその仕組みを続けているわけです。

でも、イギリスの地方選挙の取材に行って改めて驚きました。イギリスでは自治体で選挙して議員を選び、その中から議会でそれぞれの自治体の首長を選んでいた。つまり、議会制民主主義になっているわけです。ドイツもそうです。それぞれの州に首相がいますが、そこの議会選挙の中で多数を占めた政党のトップがそれぞれの州の首相になります。そして、イギリスにしてもドイツにしても、そこで行政の経験を積んで政治的に学んだ人がやがて国政に出ていくという仕組みなんですね。そういうかたちで民主主義が底辺から支えられている。そんなふうに感じますね。

もう一つはリーダーの選び方です。イギリスは階級社会なので、選挙で必ず保守党が勝つ地区、必ず労働党が勝つ地区、それに、そのたびごとにどちらかが勝つ地区と明確に分かれています。つまり、選挙のたびごとに動く地区の票をどれだけ逆側が取るかによって政権交代が起こるわけです。だから労働党にしても保守党にしても、将来有望な若手が出てくると、最初は必ず負ける選挙区に立てるんですね。

たとえば、トニー・ブレア元首相もそうです。労働党のブレアは最初の国政選挙で、労働党の地盤ではなく保守党の地盤で出ました。党は、同じ負けるにしても、どれだけ善戦したかを見るわけです。ぼろ負けだと「こいつはダメだ」となるし、かなり善戦して結構いいところまで行ったら「有望だ」と目をかける。そして、日常的に選挙運動をやっていたら政策の勉強ができないからと、その後は選挙区に帰らなくてもロンドンにいるままで必ず勝てるような労働党の地盤で選挙に出す。ブレアは保守党の地盤で負けたけれども大善戦して、まさにこのラインに乗って、やがて首相になったわけです。

もちろん、政治家としての能力があるか、意欲があるかを見て立候補させる。それで最初の選挙の結果、将来有望だとわかったら「これからはとにかくロンドンで政策を勉強しろ」と、選挙運動をさせないできちんと育てるわけです。

日本の政党は、将来有望でも必ず「金帰火来」で、週末に東京から選挙区に帰らせて土日は一生懸命に選挙運動をさせます。だから政策の勉強なんかできない。イギリスは労働党も保守党も、こいつは有望だと見るとそれを育てていく仕組みがある。この違いは、やはりリーダーの質の違いに直結するでしょう。ただ、今のボリス・ジョンソン首相はちょっと変わり種で、その規格に合わないのですが（笑）。

保阪　自分たちの政策を国民にアピールしながら、有力な後継者を次々に作っていくわけですね。イギリスの議会を見ていると、与野党が向かい合わせで議論しています。あの議論の中で予定調和のようなものはあるんですか。

池上　全くないですね。丁々発止とやり合いますから。日本のように官僚が横にいてペーパーを差し出すなんてことも全然ありません。

保阪　ああいう議論の仕方を日本の議会も取り入れなきゃいけないと思う。でも、日本の議会では難しいでしょうね。

池上　2000年から国会で党首討論が始まりました。当時自由党の小沢一郎さんがイギリス式の議論をしようと言って取り入れられたのですが、機能しているとは言えません。閣僚の答弁も、ひたすら官僚の書いた紙を棒読みしていますよね。

保阪　議論の場がありながら、それを形骸化させていく力が巧妙に働いている感じがします。官僚による「事前レク」もその一つでしょう。ただ聞いたことがあるんですが、たとえば、経済に関して官僚がレクチャーしても基礎的な事項を全く知らない国会議員がいるそうですね。消費税について「直間比率」という言葉を使って説明していたら、「それ何だ?」と言われて腰が抜けたと。要するに議論する以前の構えができてない。それぐらいレベルの低い国会議員が選ばれているという状況も深刻だと思います。

池上　いっぱいいますよ。霞が関の官僚が「高校卒業程度の常識は持っているだろう」と思ってレクをすると、全然理解していなくて、最後に国会議員から出てきた質問に愕然《がくぜん》とするということがたびたびあるんですね。

ただし、国会議員はプライドだけは高い。だから官僚が国会議員に何か説明する時には、相手を傷つけないように「ご案内のように」と言いながら基礎から説明します。「もちろんご存じでしょうけど、念のため……」と前置きしてイチから説明する。それがすっかり身についているものだから、霞が関の役人と話していると、私に対しても「もうそんなことはわかっているよ」という基礎の基礎から、「ご案内のように」と言って説明を始めるんですね。かえってバカにされているようで頭に来ますが、政治家にはこういう言い方をして基礎から教えて頭に入れてあげているんだな、とよくわかります。

「世襲」が悪いわけではないが……

保阪　自民党では各派閥が次のリーダーを育てる役割を担っていると言っていいでしょう。でもイギリスのように政策を勉強するのではなく、政局でいかにうまく振る舞うかに傾いているように見えます。
池上　前の中選挙区制の時には、自民党の派閥は勉強会を盛んにやっていました。ホテルで朝の8時から朝食会。官庁の課長や課長補佐、場合によっては局長を呼んで、この法案に関してはこういうことです、と朝食をとりながら国会議員たちが勉強する。派閥の中でも向学心のある人はちゃんとそれをやっていました。中選挙区ですから、公共事業など、自分の選挙区に我田引水のかたちでどうやってプラスにするのか、自分の死活問題として政策をよく勉強していたわけです。ところが今は小選挙区ですから、党の公認をもらいさえすれば、ほとんど当選する。だから一生懸命勉強しようという議員が減っているんですね。

それでも、土日は地元に帰って選挙運動をしなければいけない。町内会にボスがいて、たとえば盆踊りに顔を出さないだけで「何様だ、我々が勝たせてやったのに偉そうに来なくなって……」と、たちまち評判が悪くなる。それを抑えるためにも「金帰火来」で、「いつもお世話になっています」と地元の人にお酒を注いで回っているわけです。ただ、そうしていれば当選できるのですから、ますます政策なんか勉強しなくなりますよね。

保阪　そういうことをしなくて済む国会議員もいるでしょう。たとえば、有力な地盤を継いでいる2世、3世議員。でも、そういう人たちがみんなよく勉強しているかというと、そうでもない感じがします。

池上　1998年に日本の金融機関が不良債権問題などでバタバタ潰れた時、その対策作りに奔走した金融に詳しい若手政治家たちが「政策新人類」と呼ばれて注目を集めました。その多くは自民党の2世、3世議員でしたね。

世襲議員の弊害とよく言われますが、父親がしっかり地盤を築いてくれたおかげでいちいち帰らなくても悠々当選するという世襲議員は、選挙運動をしないでロンドンで政策の勉強をするイギリスの有望株と同じように、ずっと東京で政策の勉強をしていてもいいわけです。ただし、それを本当にやるのか、どうせ当選するからと遊び暮らすのか。そういう違いがありますよね。

保阪　私は、遊び暮らす国会議員と一生懸命勉強する国会議員と、その両極端を知っていますが、だんだん時間とともに差がついてくる。遊び暮らしている人は選挙も危なくなります。やはり日頃が大事なんですよ。

たとえば、福田康夫元首相の息子で、自民党の衆議院議員の福田達夫さんが昭和史の勉強をしたいというので、その勉強会に呼ばれて何回か話したことがあります。予定を決める時に、私が「できれば金曜がいい」と伝えたら、他の国会議員は「我々の大変な曜日ですから避けてください」と。でも、福田さんだけは「全然平気、私はいつでもいいです」

という返事でした。彼は選挙が楽勝なんですね。

彼に限らず、勉強している人はバランスがよくて、軽率な発言をしません。だから、そういう人に対しては信頼感が増してきます。一方、遊び呆けている人はやはり信頼できない。地位に甘えて権力そのものを目指すということになりがちです。それにしても近年、政治家が小粒になっていると感じますね。

池上　国会で丁々発止と論争するようになれば、どうすれば相手を打ち負かすことができるのかといったコミュニケーション能力が上がってきますよね。それがテレビ中継されていれば政治家の能力が白日のもとに晒《さら》される。そうしたら、少なくとも菅義偉さんのようなコミュニケーション能力のない総理大臣が誕生することはあり得ないはずです。

保阪　今の日本の議会制民主主義のかたちが永続化していけば、それだけ矛盾が拡大していくでしょう。やがて矛盾そのものが議会の死滅状態に行き着くということになりかねない。戦前の軍のような強い勢力が出てきたら、またそういうものに振り回される可能性を抱え込んでいると言えそうですね。

「反軍演説」斎藤隆夫への負い目と不安

池上　一方で、今日の民主政治においては、世界的に「ポピュリズム（大衆迎合主義）」とどう向き合うか、ということも大きな課題となっています。ただ、ポピュリズムと民主主義をどう分けるかはすごく難しい話です。政治家は選挙で選ばれるので有権者からそっぽを向かれたらそもそも当選できない。だから、有権者の支持を得るために多かれ少なかれポピュリズム的なところが政治家にはあるわけです。

けれども、それとは別に自分の主張を貫いていくのも政治家ですね。ただし、人々にそれなりに自分たちの代表として言うべきことを言ってくれていると支持されない限り、やはり力がないわけです。

こうした民主主義の難しさを踏まえて、あえて優れた政治家像を挙げるとしたら、あまり大衆迎合しない、けれども「我々の気持ちをわかってくれている」とみんなが拍手喝采で支持するようなカリスマ性があるというものになると思います。

時の権力に対して、あるいは大衆迎合ではなく真正面から論争した政治家ということで言えば、保阪さんは誰を挙げますか。やはり１９４０年に帝国議会で日中戦争を批判する

「反軍演説」を行って衆議院議員を除名された立憲民政党の斎藤隆夫が筆頭でしょうか。

保阪　尾崎行雄も「議会政治の父」などと呼ばれるくらいですから、そういう力がありました。戦前の政治家を測る尺度は、自分の意見を明確に持っているかどうか、大事な時にそれを公然と言うかどうか。大事な時に黙ってしまい、腰砕けになる人も結構いるんですよ。そこで命をかけてでも自分の意見を言う人が本当の政治家だと思う。戦前で探し出すとすれば、斎藤と濃淡はあれ尾崎でしょうね。よく尾崎と並び称される犬養毅はあまりに変わり身が早かったので、権力に対して批判する時の軽率さを感じます。そういう力を持っている代議士は、何千人もいた中で指を折れるぐらいしかいません。

日中戦争（支那事変）を批判する反軍演説をした斎藤隆夫代議士。議員除名問題へとつながった＝1940年２月２日

昭和10年代は日本のいわゆる全体主義、つまり軍事指導主義が徹底してきました。その時、ほとんどの代議士は軍に屈服するけれども、斎藤隆夫などそうではない数少ない人たちがいたわけです。斎藤は反軍演説で「聖戦と軍は言う

が、国民はどれほど苦しんでいるか」といったことを述べましたが、その全文を読むと、昭和15年によくこれだけ言えたなと驚かされます。ただ、同時に議会の中は「速記録から削除せよ」「除名だ」の大合唱になって、代議士たちが仲間を選別して弾き出すわけです。自分たちと違う骨のある代議士を見ていると、自身の負い目が露骨になるから不安でしょうがない。そんな心理状態もあったのではないでしょうか。

1942（昭和17）年4月に東条英機内閣の下で「翼賛選挙」が行われて、いわゆる翼賛政治体制が確立しますが、45年3月には「一国一党」を掲げた東条に反対する代議士たちが「護国同志会」を結成します。そこにはいわば党派を超えて、赤城宗徳や三宅正一、中谷武世《たけよ》など戦後に自民党や社会党、右翼政治団体で活躍する政治家が集まりました。

護国同志会出身の人に話を聞いたことがありますが、「憲兵に命を脅かされながらやった」と言っていた。しかし昭和10年代、彼らも斎藤隆夫までにはなり切れなかったわけですね。

ちなみに私は昭和史を調べる中で人物を評価する際には、その人物の秘書とか、側にべったりいた人を取材して、同時にその人物の対極にいた人を取材します。存命なら両者の話を徹底的に聞くわけです。

たとえば東条英機なら、彼の秘書が褒めている東条論がある。それから徹底的に批判している石原莞爾的な東条論がある。さらに言えば、軍の有力なポジションにいて東条を客観化して見ていた軍人の東条論があります。その三つを並べると、その人物に対する表現の類似性が見つかるんですね。それをやらないと人物の評価を間違うと思っています。

天下国家を論じる人、あぜ道を舗装する人、当選するのは……

池上　戦後の政治家はどうでしょうか。入り口として、新党さきがけの衆議院議員だった田中秀征《しゅうせい》さんの話をしたいと思います。彼は私の故郷・長野県出身で選挙区も長野でした。

保阪　田中秀征さんと対談したことがありますが、確か石橋湛山《たんざん》の信奉者でしたね。

池上　学生時代からそうで、その縁で彼は石橋湛山の側近だった自民党の衆議院議員の石田博英の秘書になりました。それで若い頃から選挙に出始めた。でも旧長野1区で何度も落ちています。私は信州人なのであえて言いますが、田中秀征は地元に何もしなかった人です。選挙でも必ず天下国家を論じていて、たとえば、地元に道路を持ってくるとか、そういうことを一切言わなかったんですよ。

そのせいで長野に新幹線が来るのが遅れたと言われているくらいです。新潟は早かったけれども長野は遅れに遅れて、98年に長野オリンピックがあってようやく新幹線が来た。でも松本にはいまだに来ない。けれども、長野の選挙区の人たちはそれを良しとしていたわけです。田中秀征の選挙に関しては「天下国家を論じる国会議員を出せることを誇りに思っていた」とよく言われています。こういう政治家と有権者の関係性もあって、何もポピュリズムであれば当選するというわけではないんですね。

保阪　社民連にいた江田五月に誘われて、岡山県で彼の選挙運動を見たことがあります。車で移動するのですが、スーッと進む道路から急にガタンガタンと揺れる道路に変わった。すると彼が「ここから僕の選挙区」。よく舗装されているあそこまでは自民党の橋本龍太郎さんの選挙区」と言ったんですね。「住民は大丈夫なの？」と聞いたら「僕に橋を作れとは言わないよ」と。そういうこともやらなきゃいけないことは身に沁みて感じていたでしょうが、一方で、それは彼の誇りだったと思いますね。それにしても、選挙区によって町の風景が具体的にこうまで違うのかと改めて驚きました。

池上　私のＮＨＫでの初任地は島根県の松江でした。１９７３年に松江にいた時、お隣の鳥取県の知事は石破二朗、自民党の石破茂さんの父親です。彼は元建設事務次官だから鳥取の道路は本当によく整備されていた。島根は狭くて全然ダメでした。でも、山口県に行くと歴代の総理大臣、岸信介や佐藤栄作も出ているから道路が俄然きれいになる。それで私が島根から異動した後、島根県から竹下登という総理大臣が出ました。その途端、あぜ道じゃないかというところまで舗装された。有力な政治家がいるかいないかでこんなに違うのかと、数年後に痛感しましたね。

自民党総裁に選出される直前の石橋湛山（前列左）。その右に立候補した岸信介と石井光次郎＝1956年12月14日、産経会館ホール

　さて戦後、56年に石橋湛山が総理大臣になりましたが、すぐに病気で退陣して岸信介が総理大臣になります。あの時、石橋の健康に問題がなく、彼が総理大臣を続けていたら日本の進路は大きく変わっていたでしょうね。

保阪　石橋はもともと言論人ですね。戦前、「東洋経済新報社」で一貫して日本の植民地政策や軍事膨張政策を批判しました。少なくとも、岸のように「警職法（警察官職務執行法改正案）」を出すことはないから、「60年安保闘争」につながるような激しい反対運動は起きなかったと思います。

池上　岸は58年に警察官職務執行法の改正案を国会に出しました。彼は新安保条約の批准を目指していて、反対運動が激しくなるだろうからと、取り締まりがこれまで以上にできるように、あらかじめ警察の権力を大きく広げようとした。でも警職法は猛烈な反対にあって潰れてしまったわけです。

保阪　警職法を出すこと自体は、岸には独自の時代感覚があったという見方もできるでしょう。それにしても歴史というのは不思議なもので、石橋内閣がわずか65日でも存在していることによって、石橋の前の鳩山一郎と後の岸とがそこで分かれる。石橋は鳩山とも岸とも違ったわけだから、そこに歴史の妙味を感じますよね。

中曽根はAクラス、安倍はCクラス、田中角栄は？

保阪　初代の伊藤博文から始まって今の岸田文雄まで64人の首相がいます。好き嫌いは別にしてAランク、Bランク、Cランクと3段階に分けると、やはり伊藤博文、若槻礼次郎、浜口雄幸、吉田茂、池田勇人はAランクでしょう。中曽根康弘も行政改革をやったので、私ははっきり言って嫌いだけれどもAランクだと思う。この首相たちに共通するのは、何かやろうとする政策的なポリシーと識見、そして実行力を持っていることなんです。

池上 個人的には大平正芳をAランクにしてほしいですね。

保阪 大平はそうだと思います。読書家としても知られていますね。Bランクは近衛文麿、鈴木貫太郎、佐藤栄作かな。Cランクと言えば、長さだけが自慢の安倍晋三とか。Cランクの首相が結構多くなりそうですね。東条英機なんかもCランクでしょうがない、軍人ですから。

池上 田中角栄はどのランクに入りますか。

保阪 別枠でしょうね。田中角栄は「大衆の欲望を政治化した指導者」というのが私の評価です。ただ、彼がそれを利用したとも言えるのですが、私には、そうすること自体が彼のいわば宿命だったように思えます。だからむしろ気の毒に感じるのです。

つまり、田中角栄は大衆にいいように利用された。もっと言うと、彼は戦後の日本社会、あるいは国民意識の恥ずかしい部分を仮託された首相だと思う。それは露骨なかたちで物量に幸せを求めるという欲望です。彼は、物量を幸せの論理に組み込むという汚れ役を引き受けたように私には見えるのです。

日中首脳会談で握手を交わす周恩来首相（左）と田中角栄首相。右は大平正芳外相。国交正常化へ＝1972年９月27日、北京の人民大会堂

田中角栄はある意味、大衆の欲望の犠牲者と言えるでしょう。つまり私の中では、歴史の中で大衆にいいように使われた指導者という位置付けになる。だから彼自身の意志や能力をA・B・Cで評価するよりも、別枠で評価するほうがふさわしいと思うんですね。

池上　確かに角栄はAではないし、かと言ってCでもない。じゃあBかと言うと、いろんなことをやったのでそれも違う……。

保阪　たとえば、１９７２年の「日中共同声明」による日中国交正常化はそれ自体が大事なことでしたから。田中角栄以外にも別枠の首相がいて、山県有朋とか大隈重信とか、その辺が入りそうです。しかし、改めて歴代64人の日本の首相を並べてみると、ほとんどの人に欠けていると感じるのはカリスマ性なんですね。

池上　カリスマ性で言えば、小泉純一郎はどうですか。「殺されたって俺は郵政民営化をやるんだ」と言って、法案が参議院で否決された時に衆議院を解散した。憲政の常道からは外れているけれども、あの気迫によってみんなコロリと参って選挙で勝たせたわけです。論理に関係なく、熱意だけで「この人、何かやってくれそうだ」という雰囲気を作ってしまえるのは、ある種のカリスマ性ですよね。

保阪　特に役人出身の政治家には共通してカリスマ性がないと思います。

池上　全くないですね。そこそこ頭がいいから物事を論理的に話すのですが、そうするとカリスマ性は感じられなくなります。

サッチャーとゴルバチョフの関係がうらやましい

保阪　ヨーロッパの指導者を見ていると、カリスマ性があるから指導者になったというよりも、指導者になることでカリスマ性が出てくると感じるのですが。

池上　ドイツのヘルムート・コール首相（在任1982～98年）がそうでしたね。カリスマだったから首相になったのではなく、地味な政治家だったけれども、いろいろな政策をやり遂げたから結果的にカリスマになっていった。2021年12月に退任したアンゲラ・

メルケル首相も最初は「コールのお嬢さん」なんて馬鹿にされていたわけです。首相として次々と政策を実行することで、肝っ玉かあさんになっていったというところがあります。指導者は見事なことをやり続けることによって自ずと長期政権になるし、カリスマ性も帯びてくるのでしょうね。

保阪　イギリスのマーガレット・サッチャー首相（在任1979〜90年）はどうですか。途中からかなりカリスマ性があったと思います。当時、イギリス人記者の取材を受けた時に感じたのは、彼女を嫌う人と好きな人とはっきり分かれているということでしたが。

池上　サッチャーが2013年に亡くなった時も「偉大な首相だった」と悼む人と「やっと悪魔が死んだ」とお祝いする人とはっきり分かれましたね。サッチャーは首相になったばかりの時に学校給食からミルクを除外しました。「こんなものは国で出す必要ない、飲みたいやつは自分で飲めばいい」と。要するに「自力で全部やれ」と新自由主義的な政策を実行した。当時、サッチャーとスナッチャー（かっぱらい）をかけて、「ミルクスナッチャー（ミルク泥棒）」と批判されていました。相当嫌われていたわけです。

彼女がカリスマ性を帯びたのは、やはり1982年のフォークランド紛争ですよね。アルゼンチンが大西洋のイギリス領フォークランド諸島を攻めて占領した。サッチャーはイギリス軍をフォークランドに派遣することを閣議決定しようとしました。その時に他の大臣は「そんなことしたら全面戦争になるから、すべきではない」と反対した。サッチャーは居並ぶ大臣たちを睨《ね》め回して「この中に男はいないのか」と言い放ったそうです。

保阪 あんな遠い島へ兵隊を送ったんですから、たいした決断力ですよ。

池上 兵隊を送るためにクイーンエリザベス二世号という豪華客船までチャーターした。あれには驚きましたね。

マーガレット・サッチャー。来日し細川護煕首相と会談＝1993年11月29日、首相官邸

保阪 サッチャーはソ連のミハイル・ゴルバチョフ書記長（在任85〜91年）といい論争相手になっていました。やはり互いに認め合っていたのでしょうか。

池上 そうなんです。そもそもサッチャーを最初に「鉄の女」と呼んだのは、ソ連の軍の機関紙「赤い星」でした。その後、サッチャーとゴルバチョフが会談した。彼女はアメリカや他の同盟国に「この人となら仕事ができる」と伝えるんですね。それでみんなが「どうもゴルバチョフはこれまでのソ連のリーダーとは違うらしい」と見方を変えた。サッチャーの評価があったから、西側諸国がゴルバチョフを信用するようになったわけです。

保阪　ゴルバチョフの自伝『ミハイル・ゴルバチョフ　変わりゆく世界の中で』（朝日新聞出版、2020年）を読んでいても、サッチャーと最後の会談で別れた時の話は涙が出るとは言わないけれども、感傷的な感じがしました。「あなたとは考え方は違うけれども出会えたことがよかった」というような会話なんですが、相当ゴルバチョフにとっても印象深い人物だったのでしょう。

池上　優れた指導者が、それぞれ考え方は違うけれどもお互いを讃え合う、評価し合う。そういう関係は、やはりいいですよね。そんな指導者のいる国はうらやましいなあと思います。

世界が動く時、レベルの高い指導者が出てくる

保阪　ある役人から聞いたのですが、ある時、メルケル首相と安倍首相が話した後、メル

ケルは失望したような顔をしたそうです。実際に「あの男には何もないんだね」とドイツの官僚に言ったらしい。それくらい失望したということですが。

池上　16年の伊勢志摩サミットで、メルケル首相は首脳の中で一番遅くやってきて一番早く帰りました。首脳陣が議論している時、ワインが出されるとそれをさっさと飲んで「あとはお任せするから」と部屋に引き揚げたりもした。安倍首相と話したくないからです。彼女は本当に安倍首相のことを馬鹿にして嫌っていましたね。

記者会見でのメルケル首相＝2021年1月21日、ベルリン

保阪　「この人には深みがない」ということを見抜いたのでしょう。深みとは違うのですが、やはり歴史上、世界が動く時には各国でいろんな意味でレベルの高い指導者が出てきます。毀《き》誉《よ》褒貶《ほうへん》はあるとしても、たとえば、第二次世界大戦の時はルーズベルト、チャーチル、スターリン、ド・ゴール、蔣介石がいました。歴史の

皮肉なのか、そういう現象が起こります。その時、日本にはそういうレベルの指導者が出てこなかった。それは私たちの国の弱点として指摘しておかなければいけないでしょうね。

世界が動く時に政治の場面でどういう指導者が出てくるのかは、それぞれの国の含み資産によって運命付けられているのかなと思う。その意味では、今の日本にレベルの高い指導者が出てこないのも運命付けられているという気がします。

池上　欧米の指導者たちは自らの言葉で国民を説得し、あるいは対立候補を論破しています。みんな本当に言葉を磨いている。一方、日本の政治家は官僚が用意した紙を棒読みするだけです。それでなんとか務まってしまう。そこがやはり弱点でしょうね。

たとえば、メルケル首相が国民にコロナ対策の基本的な考えを伝えた2020年3月のテレビ演説。駐日ドイツ大使館のサイトにその日本語訳が出ていますが、まず「開かれた民主主義のもとでは、政治において下される決定の透明性を確保し、説明を尽くすことが必要です」と民主主義の話をするんですね。

そしてロックダウンをして移動の自由を制限しなければいけない、不要不急の外出をしないでほしい。そもそも移動の自由は民主主義で最も大事なことだから、その制限は本来あってはならない。けれどもコロナ対策で一時的にそれをしなければいけないなどと話すわけです。

日本でも緊急事態宣言を何度か出しました。しかし、民主主義という言葉が首相の口から出てきたことがあるでしょうか。メルケル首相は、ある種、民主主義に反してあえてロックダウンをしなければいけないけれども、どのような判断によってそれを行ったか全て記録に残します、後から検証できるようなかたちにします、という感じではっきり言うんですね。つまり、民主主義に対する責任感がすごくあるわけです。

保阪　そういう感覚は日本の指導者に一番欠けているところでしょうね。

女性リーダーはデモクラシーの希望

池上　メルケル首相の20年3月のテレビ演説で、もう一つ印象的だったのは「感謝される機会が日頃あまりにも少ない方々にも、謝意を述べたい」として、「スーパーのレジ係や商品棚の補充担当として働く皆さんが、人々のために働いてくださり、社会生活の機能を維持してくださっていることに、感謝を申し上げます」と言ったことでした。その後、たまたま買い物カゴを持って列に並んでいるメルケル首相を見つけた人がスマホで写真を撮ってSNSに上げたので、じつはメルケル首相はいつも自分でカゴを持ってスーパーに行っているということがわかった。これはやはり人々の心を打ちますよね。

今日の世界のリーダーたちを見ていると、時代が変わってきたと感じます。昔は「俺について来い」というのが、あるべきリーダー像だったと言っていいでしょう。それが変わってきている印象を受けるのです。

たとえば、コロナ対策でフランスのエマニュエル・マクロン大統領は「コロナとの戦争だ」と宣言しました。トランプ大統領も自らを「戦時大統領」と呼んだ。マッチョな男は何か危機的状況になると、すぐ戦争をメタファー（隠喩）にしたがります。すると社会には、戦争に犠牲者は付き物だ、ある程度の犠牲者はやむを得ないというイメージが広がります。だから「俺について来い」というわけです。

けれどもコロナ禍では、戦争を持ち出すようなマッチョな彼らの支持が高まったかというと、必ずしもそうではありません。

むしろ、戦争などという勇ましい言葉は全く使わずに共感力を示したメルケル首相のほうが支持されました。ニュージーランドのジャシンダ・アーダーン首相もそうです。アーダーン首相は、ロックダウンしなければいけないと伝える国民向けの演説の中で、「私たちはみんなお互いに優しくなりましょう」と「ビー・カインド」という言葉を使いました。

またアーダーン首相は、ロックダウンが続く中、もうすぐイースター（復活祭）という時の全国中継の定例会見で「イースターバニーと歯の妖精はエッセンシャルワーカー」だからあなたのところに行きますと、子どもたちに向けて語りかけました。これには、さすが子育て中の女性だなと感心しました。

キリスト教社会のニュージーランドでは、イースターはクリスマスと同じくらい大事な行事です。イースターバニーというのは、イースターの時にこっそり家にやってきて色のついた卵を隠すうさぎのこと。その卵を探すのが子どもたちの楽しみなんですね。歯の妖精というのは、欧米では、子どもは乳歯が抜けると枕元に置いて寝ます。すると翌朝までに歯の妖精がやって来て歯をもらっていく。その代わりにプレゼントを置いていく。これも子どもの楽しみです。だから「まだ不要不急の外出はダメです」といった国民の気持ちがふさぐことを伝える一方で、「バニーたちはエッセンシャルワーカーだから大丈夫」と気持ちを和ませることを言ったわけです。

こういう話を聞いたら子どもはホッとするし、親はニヤリとしますよね。さらにアーダーン首相がすごいのは、「でも、今年はバニーたちもおうちで家族と過ごしていて忙しいかも。だからバニーたちが来なくても許してあげてね」などと言って、何かの事情で卵を隠してもらえない子どもたち、隠せない親たちのこともフォローしました。彼女は首相になってから出産して、子育てをしながら務めを果たしています。だから生活感や子どもへの優しい眼差しがあるんですよ。

保阪　そういう指導者の演説や会見によって、政治が特殊な人たちの特殊なものというより国民のものだという広がりが明確になりますね。女性がトップというのはかなりいいことだと思います。

池上　一部例外はありますが、初期に新型コロナを抑えることに成功した国・地域は、女性指導者というケースが多かった。最もうまくいっていた台湾も蔡英文総統です。女性のトップと危機対応との因果関係はわからないけれども、相関関係は明らかにあるでしょう。

保阪　少なくとも私の感覚では、女性が指導者になることによって戦争が政策の第一次的なものになることはあまりないだろうという感じはしますね。

池上　「俺について来い」というマッチョな指導者の時代から、コロナ以降は「みんなで課題に立ち向かっていきましょうね」と国民に優しく語りかける指導者の時代に変わってきていると思います。つまり、今日の指導者には共感力を持って国民に同意してもらうことが求められている。これからは、ますますそれが理想的なリーダー像になっていくのではないでしょうか。

保阪　私たちは、今まさにデモクラシーが変化していく「潮流」を目撃しているのかもしれませんね。

第6章　自分の手で社会を変えられるか？

敗戦後初めてのメーデー行進＝1946年5月1日、宮城（皇居）前

今日の日本はある種の「充足感」に満たされている。しかし、それは「起きてほしくないことは考えないようにしている」からに過ぎないのではないか。だからこそ近現代史を俯瞰し、その悪弊を乗り越える必要がある。最終章、社会をより良く変えるための「歴史の知恵」を提示する。

新自由主義の台頭、労働組合運動の衰退

保阪　池上さんとの議論を通じて、私たちの国に限らず、今日、世界的に民主主義や資本主義のかたちが非常に揺らいでいる、切実に問われていると改めて感じました。最後に、そういう中で社会はどんなふうに変わっていくのか、あるいは私たちが社会をどのように変えていったらいいのか、いわば「私たちの国のあり得べき未来」について池上さんと一緒に考えてみたいと思います。やはり未来を考えるためには、今ある問題をよく理解する必要があるし、それに至る歴史を知らなければいけない。これまでの議論の振り返りも含めて、そのあたりから始めましょうか。

池上　第二次世界大戦後の現代史において、とりわけ東西冷戦時代は資本主義にとって常

にライバルが存在していたわけですよね。うっかりにしろ何にしろ、資本主義側でいろいろ労働者の怒りを買うようなことがあれば、一挙に労働組合運動が盛り上がって革命が起きるかもしれない。そういう緊張感があったと思います。だから、たとえば日本では、労働者の怒りを抑えるようにと年金制度などが整備された。特に田中角栄内閣以降、社会保障制度を整備していったんですね。

ところが東西冷戦が終わった。80年代末から90年代初めに社会主義側が自壊した途端、資本主義側は「勝った」と驕《おご》ってしまいます。それで「やはりマーケットに全て任せるのがいいんだ」となった。ソ連が崩壊したのはマーケットが機能していなかったからなんだ、というわけです。マーケット至上主義が台頭する中で、とりわけ極端だったのがいわゆる新自由主義です。

東西冷戦が終わるまでの日本の自由民主党は、党の名前と違って、国際水準で言うところの社会民主主義的な政策に取り組んでいました。社会保障を充実させ、北欧のような社会保障大国にならないにしても、マーケットの暴走を抑えつつ社会保障を充実させていこう。そういう方向性だったわけですよね。

たとえば、有名なのは亀井静香さんです。１９９４年、亀井さんが運輸大臣の時に日本航空が「人件費を削除するために客室乗務員を全部契約社員にする」という計画を打ち出します。それに亀井大臣が激怒して「そんなことで安全が守れるのか、正規採用にしろ」と猛反発した。マーケットの常識で言えば、これは企業に任せればいいことです。ところが自民党の大臣が「正規採用しろ」と圧力をかける。その時に改めて、非常に社会民主主義的な政策なんだなと感じました。

ところが資本主義が勝った、社会主義が負けたとなった途端、自民党から新自由主義的な「全部マーケットに任せればいいんだ」という政策が飛び出してくるようになりました。それが極端になったのは小泉内閣以降でしょう。「全部民営化すればいいんだ」というかたちで郵政民営化にもつながったと思います。

一方で、それに対抗する日本のいわゆる革新勢力には成功体験がありません。吉田内閣打倒などを掲げた47年の260万人規模の「2・1ストライキ（ゼネスト）」も、GHQ（連合国軍総司令部）のマッカーサーの中止命令によって直前で頓挫してしまいます。その後の労働組合運動は「総評」や「同盟」という中央組織がかなり力を持っていましたが、安保条約に関しても労働組合、あるいは社会党や共産党の要求が通ることはなかった。68〜70年の学生運動も「壮大なゼロ」と当時よく言われたように、大混乱したけれども結局は何も起きなかったんですね。つまり成功体験がないまま、結果的に「我々が何かやっても世の中を変えることができないんじゃないか」と諦めの気運が出てくるわけです。

それでも「労働組合は一つになって強くなったほうがいいよね」と87年に総評と同盟が組んで「連合」になります。ところが図体が大きくなった途端、かつての総評が持っていたような戦闘能力がなくなってしまった。当然、経営陣になめられますよね。だからますます労働組合運動、革新勢力がおとなしくなって、「社会を変える」ことに対する今日の諦めムードに至っているのでしょう。

要するに、世界的に資本主義が勝ったという思いが募っていく中で、日本では革新勢力の成功体験がないまま、ずるずると今の状態になってしまった。これが私の「現状認識」というところです。

もちろん、革新勢力に成功体験がないと言っても、たとえば、総評がものすごく強い力を持っていて社会党が選挙で躍進した時期は、自民党や財界にとっては非常に危機的な状況でした。だから労働者の不満を少しでも解消するように、給料を引き上げる、所得を増やす、社会保障を充実させていくということを政府としてやらざるを得なかった。つまり、主体的に革命をしたわけではないけれども、労働組合の組織化が進んでいったことが原動力の一つだったわけですね。そういう発言力があったがゆえに政府もいろいろなことをやらなければいけなかったという意味では、ある程度成果があったとは言えるでしょうが。

私たちの国の「近代」をどう総括するか

保阪　基本的には池上さんのおっしゃる通りだと思います。日本は社会主義とまでは言わないけれども、かなり社会民主主義的な要素が強い。戦後において自民党の中の決定集団の意識、思想は社民的なところが相当強く出ていました。それによって、戦後に社会党が本気で革命を起こそうとしたけれども、あるいはいろんな意味で社会主義革命に類するアプローチをして、それを国民に宣伝流布しようとしたけれども機能しなかった。現実の政治そのものが社民的であれば、それはある意味、当然の展開でしょう。

そもそも「日本の社会を変える」というのは、明治維新に始まったわけですね。つまり、日本の近代、日本の資本主義は自然発生的にその歴史を紡いできたのではなくて、近代国家を立ち上げるにあたって、国家自身が一つの形態として資本主義そのものを引っ張ってきたわけです。たとえば、民間に製鉄所など基幹産業を作るだけの力がない時は国家が作り、それを民間に払い下げた。このことは、日本は鎖国を解いて近代という流れの中に入った時、国家自体が一つの資本主義の形態そのものだったと言えるでしょう。つまり「国家が資本」というかたちで政治を動かしていった。その意味で言うと、社民的どころか国家社会主義的なかたちが、もう戦前からずっと続いてきたんじゃないかと私には思えます。

明治維新で薩摩藩や長州藩の下級武士たちが天皇を担いで国作りを進めてきましたが、明治初めにはどんな国家にするか、次の五つの可能性があったと思う。
①欧米列強に倣う帝国主義国家
②欧米とは異なる道義的帝国主義国家
③自由民権を軸にした民権国家
④米国に倣う連邦制国家
⑤攘夷を貫く小日本国家
たとえば、④連邦制国家は、幕藩体制がある意味で地方分権制でありながらの中央集権国家だから、そういう国づくりも可能だったはずです。あるいは、③民権国家も自由民権運動があったわけだから、最新の西欧主義社会という道を追いかけることもできたでしょう。

しかし結局、岩倉使節団が欧米を見てきて、「序章」でも話しましたが、山県有朋が最初の帝国議会演説で「主権線と利益線というもので国家の利益を守るんだ」と言った。1890（明治23）年のことです。つまり、西欧帝国主義の嵐の中に出ていって、その中で生き残るという国家像を選んだのが明治政府でした。以来、日本は①欧米列強に倣う帝国主義の道を諸々と歩くことになるわけです。

当時はそれ以外、新しい国づくりのプランニングを持てなかったということだとは思います。けれども、すでに西欧帝国主義が歩んできた道を、後から諸々と短期間に歩んで行くことには無理、強引さ、論理の欠如があった。要するに、いろんな問題を抱えながら無理に無理を重ねていったのが日本の近代でしょう。

資本主義と言いながら国家社会主義的なかたちを取ってきたのもまさにそうですね。要するに、近代をどういうふうに総括するのか。それをきちんと行ってこなかったという大きな問題が、新自由主義の台頭と労働組合運動の衰退、その両方の根っこにあるのではないでしょうか。

もっと言えば、近代を総括するにはその前、江戸時代の蓄積を考える必要があります。基本的な江戸時代270年の蓄積において、特筆すべきはやはり庶民階級の識字率の高さでしょう。それができたのは対外戦争をしていなかったからだと思うし、それをプラスのほうに転化していくエネルギーがあったからだと思う。だからこそ、武士階級も戦というものに距離を置く中で勉学に励み、人格研鑽《けんさん》に努めたわけです。そういうエネルギーそのものが、含み資産として近代の社会の底流にあったと思います。

ただし、それが生かされたかたちで活力として前面に出て社会が動いたということはあまりない。私たちの国が持っている含み資産がうまく組織立って機能するかたちは戦前も戦後も成し得なかった。そこに私たちの国が抱えている、さらに大きな問題が含まれているという感じがしますね。

「ソ連崩壊」のように、壊れつつある社民主義的な日本

保阪　先ほど池上さんがおっしゃったことを私なりにまとめると、社民主義的なかたちが壊れつつあるというのが今日の日本社会の状況ということになります。そう考えると、やや乱暴な議論かもしれませんが、ソ連の崩壊を連想するんですね。

私はソ連が倒れた時、前にも触れましたが1990～92年の3年間、毎年11月に2週間ほどモスクワに滞在して定点観測したことがあります。日本の社民主義的な要素よりも、ずいぶん遅れたかたちの社会主義の姿を目の当たりにして、改めて驚きました。たとえば、

赤の広場にある国家の百貨店に行ったら売り場に何もない。ほとんど商品供給がされていない状態でした。売り場は軍が管理していて、「○○を買いたい」と言ってきた人の注文を紙に写して「また何日後においで」というやり取りをしている。初期資本主義と似ている状況になっていたのでびっくりしましたね。

共産党の中堅幹部の人たちともたくさん話しました。それで感じたのは「共産党が支配していたら人間が共産党的になるんだな」ということ。それは、すでに評論家の林達夫が『歴史の暮方　共産主義的人間』の中で指摘したことですが、昔読んだ時には、なんとなく納得できなかった。けれども当事者と話してみて、実態はそうだなとようやく腹に落ちたわけです。

たとえば、「コルホーズ（集団農場）が解散されて自作農として土地を持って農業を自由にやれるから、すごくいいですよね」と言うと、「冗談じゃない、どう生活していくか」と憤慨する。「僕はコルホーズの中でトラクターの運転だけやってきて、種を何月にまくか、どう収穫するかとか、他のことは何も知らない。だから自作農は嬉しくもなんともない。実質的に失業するんだ」と困惑していました。

あるいは、モスクワを歩いていたら行列ができていたので、案内してくれていたソ連の人に「何の行列？」と聞いたら、「アイスクリームだよ。今あまりないから、アイスクリーム売り場があるととにかく並ぶんだ」と教えてくれた。後日、その人が日本に来て再会した時に、たまたまアイスクリームの売り場を通りかかったんですよ。そうしたら「どうしてみんな並ばないの？」と聞いてきた。それで、基本的に彼らは需要と供給の関係について全く理解していないことが改めてよくわかりました。やはり共産主義体制の中では、共産主義的な人間が作られていくということでしょう。

ソ連邦崩壊。クレムリンの連邦大統領府に掲げられたロシア国旗。ゴルバチョフ大統領はこの日、正式に辞任を表明した＝1991年12月25日、モスクワ・赤の広場

要するに、ソ連は私が思っていたのと全く違う国家形態の中で社会主義政策を営んでいたんですね。つまりソ連の社会主義は、資本主義と競争するとか「vs.」の関係とか以前の段階で、経済体制そのものが軍拡競

争に巻き込まれて完全に崩壊していた。ただし、国民側には潰れるという意識はなかった。そして、みんなが右往左往する中であっけなく国家体制が壊れていったわけです。

池上さんの話を聞いていて、このようなことが今の私たちの国にも当てはまるのではないか。そんなふうに考えていました。つまり、社民主義的な要素が潰れていく中で右往左往していて、やがて社会そのものが壊れていくのではないか、という危惧なのですが。

国家とアイデンティティー、その巨大な虚構

保阪　崩壊期のソ連の混乱を見ていて、もう一つ驚いたのは、ソ連の人たちが持っていた社会主義に対するアイデンティティーについてです。私たちは日本の軍国主義にアイデンティティーを持っているかのように装っていましたよね。それと同じことが社会主義国家の中で起こっていたんだなと痛感する出来事がありました。

あの時、KGBがやけになって西側に情報を売り飛ばすという期間が1年くらいあったのですが、私もそういう人たちと会いました。なかに私と同じ年齢の人がいたので「何をやって生きてきたの?」と尋ねたら、「僕はKGBの職員で、60年代にベトナムにいたんだ」と言う。「その時にお前は何をやっていたのか」と聞くから、「日本でベトナム戦争の

反対運動をやっていた」と答えた。すると、ベトナム戦争反対がいかに自分たちを助けてくれたか、と喜んで、いろいろ説明してくれました。

彼の仕事というのは、アメリカのパイロットの尋問です。北ベトナムに飛んで来たアメリカの爆撃機を撃墜して、パイロットを生け捕りにして英語で尋問する。「お前は誰だ？」から始まって「故郷は？」「大学は？」といろいろ聞く。彼は「本当のことを言っているかどうか、次の日には全部わかる」と言っていましたね。「嘘を言っている人間はすごい取り調べをやって情報を聞き出すんだ」と。要は、アメリカの中にＫＧＢの情報網がほとんどできていたんですね。

そういう熾烈なアメリカとの冷戦の中で活動したＫＧＢ職員は超エリートです。３カ国語くらい普通に話すし、学歴もすごいし、ソ連という国に対する忠誠は並外れたものがあります。しかし社会主義体制が崩壊して、一気にそのバランスも崩れた。「これだけ俺たちがやってきたのに年金は雀の涙ほど。国家は何の恩恵も与えなかった」と。それで頭に来て「俺たちは何だって外国に売って、自分で金を稼ぐんだ」となったわけです。

ソ連の崩壊については、いろんな受け止め方ができるでしょうが、ごく自然に体制そのものが自己崩壊したというのが私の率直な印象です。ソ連がダメなのか、社会主義がダメなのか、それはわからない。ただし、ソ連という国家が巨大な虚構の中で、20世紀にどの国もやらない壮大な実験をやり、実験そのものが失敗だということを見事に示してくれたことは間違いないでしょう。

その歴史には、やはり学ぶべきものがありますね。たとえば、日本の軍国主義にしてもソ連の社会主義にしても、ある体制下ではアイデンティティーの虚構という現象が起こるという、法則のようなものを見出すこともできるでしょう。だからある意味、ソ連の人たちに対して感謝したいと思います。

ちなみにソ連の人たちと話していて、彼らが一番目を輝かすのは「ヒトラーと戦って勝った」という話題でした。たとえば、わざわざ私を車に乗せてモスクワの空港に連れていって、「ヒトラーはここまできたけど、我々は追い返したんだ」と事細かに説明する。自分たちの手で祖国を守ったという誇りや自信、これは驚くほど彼らの社会の中のエネルギーになっていると感じました。

池上　60年代、70年代に社会主義運動をやっていた人たちにとって、ソ連は輝ける社会主義大国というイメージがありました。実際、ソ連は世界の様々な国・地域を支援していた。ただ崩壊後にわかったのは、ソ連がじつは石油大国だったということです。石油や天然ガスを売ることによって莫大な金が入って、それでソ連という国家が成り立っていたわけです。

70年代、オイルショックで石油価格がはね上がることでソ連も恩恵を受けていました。ところが日本も含めて「石油を節約しよう」となった。それでオイルショックの後に需要が急激に減って石油価格が暴落します。それによってソ連経済は大打撃を受けた。だから国家を維持できなくなっていくわけです。つまり、ソ連は社会主義の優位性ではなく石油によって支えられていた。まさに保阪さんがおっしゃるように、虚構の大国だったということだと思いますね。

東南アジアの経済発展と、インドネシアの「独裁」

池上　今日、社会主義国家はほとんど残っていません。たとえば、フィデル・カストロが全盛期だった頃のキューバは、ソ連のようには暗くない、北朝鮮とは違う、なんとなく明るい社会主義というイメージでした。社会保障が充実していて、医療も充実していると。ただ、それもソ連からいわば友情価格で、国際価格よりはるかに安い価格で石油が供給されていたからこそ成り立っていたんですね。だからソ連が崩壊して、ロシアが「国際価格でしか石油を売りません」となった途端、キューバはすっかり貧乏になってしまった。その明るさから、唯一成功した社会主義国のように見えていましたが、それもじつは石油の恩恵を受けていただけだった。がっかりするような実態ですよね。

保阪　ベトナムはどうですか。社会主義そのもので経済発展しているのでしょうか。

池上　中国と全く同じことをやっています。中国の鄧小平の改革開放政策にあたるのがベトナムのドイモイ（刷新）政策です。つまり、「ベトナム共産党に逆らわなければ、どんな金儲けをしてもいい」という国家資本主義です。今、ベトナムは猛烈な勢いで発展しています。ただ南北に差があるんですね。南のホーチミン市は、かつての南ベトナムの首都サイゴンですから、もともと資本主義なので猛烈に自由経済になっていて大きく発展しています。けれども北のハノイ市は、かつて北ベトナムの首都だったこともあって共産主義的な人がいるものだから、経済的にあまり発展していない。そのおかげで古い静かな街並みが残っているのですが。

保阪　ベトナム共産党は今もソ連帰りの人が中心になっているんですか。

池上　その時代は終わりました。現在はロシア系と中国系という二つの派閥があります。昔ベトナムは中国と戦争（79年「中越戦争」）をしているので、基本的にはみんな中国が大嫌いです。前者はとにかく中国が嫌だという勢力、後者は経済の発展のためには中国との貿易が大事だと中国を重要視する勢力と言えます。党内で両者による権力闘争も行われていますね。

保阪　ベトナム以外にも、マレーシアやインドネシアなど東南アジアは、かつて共産主義勢力がある程度強かったですよね。

池上　インドネシアは一時、非常に強かった。スカルノ大統領（任期45〜67年）が第三勢力としてソ連や中国ともアメリカとも仲良くやっていこうという路線だったので、インドネシア共産党がものすごく増えたわけです。それで65年、中国の毛沢東がインドネシア共産党に対して「武装蜂起しろ」と命令し、実際、軍人による要人殺害事件も起こった。そのクーデター計画に気づいた軍の司令官のスハルトが、逆にクーデター的に猛烈に抑え込みました。その時、共産党員はもちろん、党関係者と疑われた人々が少なくとも50万人も虐殺されています。特にインドネシア共産党が毛沢東派だったので、中国系の人が標的になって殺された。結局、インドネシア共産党は全滅してしまい、スハルトは67年からスカルノに代わって大統領（任期67〜98年）になるわけです。

首都ジャカルタにチャイナタウンがありますが、中国語を看板などに使うことは禁止されています。何年か前までは、日本語の本も漢字が書いてあるからうかつにインドネシアに持ち込めなかった。いまだに中国共産党から何か指示があるかもしれないと警戒しているんですね。

あるいはＡＳＥＡＮ（東南アジア諸国連合）も、ベトナムの影響がカンボジアやラオスから広がっていくんじゃないかという「ドミノ理論」を警戒したアメリカの支援で、それを抑えるための反共組織として67年にできたわけです。つまり、東南アジアは共産主義を必死になって抑え込んだということでしょう。

保阪　インドネシアには、大統領だったスカルノとかその副大統領だったハッタとか、オランダからの独立運動で頑張った人たちが英雄視されている空気は、もうないんですね。残留日本人の中には戦後もインドネシアに残ってかなり協力した人もいるのですが。

池上　スカルノを失脚させたスハルトによる開発独裁が続いてインドネシアは発展しました。自由のない独裁ですが、「発展したんだからいいよね」と不満がそれほど出てこないのがインドネシアですよね。主要産業は石油、パーム油、ゴム、農業。様々な原材料を輸出するかたちで外貨を獲得して経済を発展させてきたわけです。

保阪　東南アジアでこれから気になるのは宗教の問題です。インドネシアはイスラム教、タイは仏教、フィリピンはキリスト教と、国によって強い宗教が違います。そういう宗教的な対立から来る混乱はこれから顕著に出てくるのでしょうか。

池上　インドネシアは世界最大のイスラム教徒の国です。ただ、やはりアラビア半島から離れれば離れるほど戒律が弱くなっていく。つまり、インドネシアは圧倒的にイスラム教徒が多いけれども、相当程度「なんちゃってイスラム教徒」なんですね。敬虔なイスラム教徒はあまりいない。ただし、アチェのようないわゆるイスラム原理主義的な影響を受けた、どちらかと言うとテロリストのような集団は辺境に行くといます。だから散発的に宗教対立のようなことが起こる。でも、ジャカルタなど圧倒的多数の都市は「なんちゃってイスラム教徒」だらけですから、経済がうまく回っている限り、そんなに混乱しないわけです。

最終戦争の歯止めになる「監視の目」

保阪　カナダ出身の高名な歴史学者、マーガレット・マクミランは『戦争論』（えにし書房、2021年）の中で、ホワイトハウスにも中南海にも「米中戦争必至」と言う人が一定数いて、それが今後、現実になるんじゃないかと指摘しています。先の章で石原莞爾の

「世界最終戦論」の話をしましたが、今の米中対立を見ていると、東洋文明の覇者と西洋文明の覇者が激突する最終戦争という流れになっているのではないかとも感じます。

池上 東西冷戦の後に国際政治学者のサミュエル・ハンチントンの『文明の衝突』が世界的ベストセラーになりましたね。ハンチントンはいくつかの文明(中華、ヒンドゥー、イスラム、日本、東方正教会、西欧、ラテンアメリカ、アフリカ、その他)に分けて、様々な衝突が起きると言っていました。石原莞爾は東洋文明・西洋文明という二極の衝突ですが、文明という切り口は似ていますよね。

それとは別に、今かなり国際政治学者の中で常識になっているのが、先の章で紹介した「トゥキディデスの罠」なんですね。圧倒的な力を持った国に対して新興国が力を持つとそこで必然的に衝突が起きる。それは今日のアメリカと中国の衝突にも当てはまると。その説に説得力があるがゆえに、絶対にそうなってはいけないという、むしろ米中戦争の歯止めになっていると思います。

保阪 ウクライナ戦争に続く米中対立を世界中の学者たちが注視しているということですよね。戦争が本質的になぜ起こるのか。時代によってその解釈は変わるだろうし、文明の優位性を争うような衝突か単なる経済権益の衝突かわからないけれども、中国が力をつけてきたからこそアメリカとの間で軋轢《あつれき》が起きているということでしょうね。

池上　それが軍事的な衝突になってしまったら、どちらも核兵器を持っているので、それこそ最終戦争になりかねない。ウクライナをめぐるNATOとロシアの対立もそうですが、まさに世界中が注視しているわけです。

保阪　楽観的過ぎるかもしれませんが、そういう監視の目がある限り、戦争にはならないと思いたいですね。結果的には裏切られたわけですが……。

「若者運動」の大いなる可能性、「学生運動」の大いなる錯誤

保阪　「社会を変える」という意味では、先の章で議論したように、気候変動の問題に対して、グレタさんに触発されて世界中の若者たちが声を上げています。そういう動きは希望の灯りのように感じます。

池上　グレタさんが「大人たちは何もやろうとしない。私たちの未来はどうなるんだ」と言って注目されるようになった途端、EUが気候変動の緊急事態宣言のようなものを出し、急激に温暖化対策が進むようになりました。彼女の影響はヨーロッパにおいてはものすごいものがありますよね。ヨーロッパでは若い人が盛んにデモをしています。日本だけ全然

ないなと思っていたら、最近はだいぶ出始めました。特にCOP26では、日本の高校生たちが授業を休んでデモに参加していましたね。

ただ、70年前後の学生運動の負の遺産があって、若い人が街頭に出て何かやると、周りから「過激派じゃないか」と見られたり、親が「頼むからそんなことしないでくれ」と言ったり、圧力がずいぶんあるんですよ。そういう偏見や嫌がらせの中で、それでも「このままじゃ私たちの未来がない」とようやく立ち上がり始めています。

でも皮肉なことに、過激なことをしないからあまりニュースにならない。若者の地道な活動として取り上げられることはあるけれども、大きく報道されることはないわけです。

保阪　そういう現象が正確に報道されていないこと自体、日本メディアの問題は深刻ですね。

池上　新聞で言うと、目に見えるかたちで激しい運動をすれば簡単に第一面に出る。でもデモをしている高校生について、きちんと学校現場などを見て探ってレポートしても、政治面とか社会面とかには出ない。学芸欄とか教育欄とかに出てしまう。だからあまりみんなにわかってもらえない。そういう構造になっています。

保阪　60年、70年の学生運動の中には何か前衛意識があって、「俺たちが前面に出て大衆を引っ張っていくんだ」という驕り高ぶり、いわば錯誤がありました。けれども、そういうものを捨て切った世代である若者たちの運動は、大いに可能性を秘めていると思います。だからこそ、運動の広がりをきちんと大人たちが見てサポートしていかないといけない。新しい時代を生きる人たちですからね。特に我々の世代はサポートする姿勢を持っていないといけないと感じます。

池上　前にも言いましたが、私たち世代の学生運動はある種レーニン主義、外部注入論なんですね。労働者は意識が遅れている、だから前衛党の思想的なエリートが引っ張って行く、前衛党が遅れた人々に外部から革命の思想を注入することで革命を起こすんだ、という理屈。当時の学生運動は、様々な党派がそれと同じことをやっていましたよね。

保阪　基本的には、それが社会の中で一番大きな害毒を流すことになったでしょう。私の世代だと大学進学率は10％ほどでした。その少ないことを笠に着て、大学生が知識人の端くれみたいな顔をして「革命を引っ張っている」と本気で言っていた。傲慢そのもののような論理が幅を利かせていた時代でした。

池上　昔の大学生にはエリート意識がものすごくありましたから。

保阪　今はみんながある程度、大学に進みます。もう我々の時のように傲慢な論理が通じる時代ではない。だから学生も大衆の一人だという自覚の下で運動に入っていく。そういう流れになっているのでしょうね。

「最近の若いやつはだらしない」なんて言う老人でも、「もうそんな時代じゃない」という認識は持っているはずです。若い人には若い人の問題意識、年寄りには年寄りの問題意識がある。問題の捉え方が世代によって違うのは当たり前であって、そういう違い自体が社会全体の広がりを示しているわけです。結局、お互いがお互いの問題意識を信頼していくしかないと思います。

たとえば、講演会などで若い人と話していて明らかに変わってきたと感じるのは、本当にみんな礼儀正しくなっているということです。昔の学生はため口を利いて、すぐ議論のための議論をふっかけてきた。今の学生はきちんとメモを取っておとなしく聞いている。そういう姿を見て「だらしない」と言う人もいるでしょうが、私は「若い人たち自身がいろんな約束事を作ってきているんだな」と感じるんですよ。

これは、良いとか悪いとかではなくて、そうやって社会は変わっていくわけです。つまり、生意気な口を利くことが若者の特権であるかのように傲慢に振る舞う人は、今日の社会の中では浮いた存在になっている。それは社会全体がある意味行儀よくなっていることを示している。それだけのことだと思います。あえてなぜそうなったのかと考えると、やはり「大衆の一人だという自覚」があるからでしょうね。

日本社会は快適だから、ひっくり返す必要はない？

保阪　気候変動に関しては、日本の若い人たちも「変えなきゃいかん」と思い、行動し始めています。一方で、「社会」という大きな枠組みにおいては、若者全体としてそのエネルギーはそんな大きくないと感じます。「社会を変える」という主体的な意志は、なぜ変えるのか、どうやって変えるのか、何をもって変えたと言うのか。そういうことがきちんと自覚できないとなかなか固まっていかないと思いますね。

池上　やはり日本社会は快適なんですよ。たとえば、アメリカのような激しい競争社会ではありません。アメリカだと、会社に入って少しでも評価が悪ければあっという間にクビになる。あるいは儲からない会社はあっという間に倒産してしまう。でも日本は、とりあえず一度正社員になればクビになるわけでもなく、会社も潰れません。

結果的に日本は30年間給料が上がっていないという状況ですが、クビになるわけでもなく、治安もよくて、トイレに行けばウォシュレット……。これは快適であって、むしろ冒険する必要はないという判断になるわけです。

その傾向は新卒の就職活動を見てもわかります。近年、大学生の人気企業ランキングで商社が前ほどには上位に入ってきません。伊藤忠は入っています。これはコマーシャルが流れていてみんな知っている会社ということもありますが、伊藤忠が商社の中でもとりわけ国内の仕事が多いからなんですね。海外の仕事が多い三井物産や三菱商事は前ほどの勢いがない。我々の世代は商社に行けば海外に行けると志望する学生が多かった。でも今は「日本のほうが快適なのに、何でわざわざ海外で働く必要があるの?」となっているわけです。

そういう思考は「社会改革をしていこう」というエネルギーにはならないですよね。でも温暖化や環境問題は肌身でわかる。だから「マイバッグを持っていこう」とか「ゴミは持ち帰ろう」とか、そういうことは主体的にやっています。サッカーのW杯の時でも、海外のスタジアムに応援に行った日本の若者たちがゴミを集めて持ち帰るのを見て世界がびっくりした。確かに自分の身の回りでできることはやろうとしているわけです。

ただ、だからと言って「世の中をひっくり返そう」とまではならない。たとえば、給料が上がらないといっても、ワンコインでお昼を十分食べられるし、スタバはちょっと高いけれども、マクドナルドやコンビニなら100円くらいでかなり美味しいコーヒーが飲めますからね。「何でひっくり返す必要があるの?」というくらい快適なんですよ。

保阪 日本で生きていることに対する若い人たちの充足感は、我々が考える以上に大きいんですね。社会を変えようという差し迫った意識がないなら、たとえば、今の自民党政権はこれからも安泰に続くように思えます。現実問題を変えるとなったら相当能動的なパッションが必要ですが、能動的なパッションを持つこと自体が今の日本社会では浮いてしまうという面もあるのかもしれません。

主観的願望を客観的事実にすり替える「悪癖」

保阪 私たちの国の場合、「戦争しない」あるいは「平和を守る」というのも主体的な意志に関わるテーマだと思います。

池上 日本の若者たちでも、「アメリカ軍に守ってもらっている」という意識が非常に高いですよね。私は時々、大学の授業で「尖閣諸島が安保条約の適用範囲になるかどうか」という講義をします。「オバマ政権もトランプ政権も、尖閣諸島は日本が実効支配しているから尖閣諸島は安保条約の適用範囲になるんだ、と言っている」と。それで「でもね……」と続けます。「もし尖閣諸島に中国が来たら最初に出ていくのは自衛隊なんだよ。考えたくないけど、そんなことになったらまず自衛隊が血を流すんだよ。そのあとにアメリカが出てくるんだよ」と。「アメリカの一般国民からは、何で日本人が血を流さないのにアメリカ人が血を流すんだという意見が出てくるよ。だからすぐにはやってくれないんだよ」と。すると、学生たちはびっくりするんです。

要するに、結構多くの日本人が尖閣諸島をめぐる問題でいざとなれば、なんとなくアメリカ軍が中国と戦ってくれると思い込んでいるわけです。アメリカの人たちとの意識の違いは大きいですよね。

保阪　池上さんがおっしゃったことは、まさに戦後77年の中の基本的な問題です。私たちはその基本的問題を考えないようにして「日本は平和だ」と言ってきた節もある。一方で、日米安保のことを持ち出して「じゃあ、日本は自前で軍隊を持って……」とか「非核三原則を見直すべきだ」とか、論理が乱暴に飛躍してしまう傾向もあります。

良い悪いは別として、アメリカに肩代わりしてもらえるという精神的状況は、日本社会の文化やものの考え方に日々累積していく危険性がありますね。どこかで「何でアメリカが日本のために血を流すのか」という当たり前の疑問を突きつけられ、それを当然のように思っていたツケが回ってくる時代が来るかもしれないし、その時に大きな変化があって清算できるのかもしれない。それはわからないけれども、この基本的問題の議論を避けて先送りしていると、ツケがたまっていくことは間違いないわけです。

じゃあ、具体的にどうすればいいのか。きちんとした議論が必要ですが、それを論じ出すと政治的な対立になるから大人の知恵で言わないのか、あまり議論したがらない。でも、そういう態度がツケに輪をかけていくんですよね。ただ、拙速に論じることで問題が単純化していって、文化そのものの累積が何か憂うべきところに行くかもしれないという懸念もあります。その辺が痛し痒しではあるのでしょうが。

池上　ともすると右翼的な発言に聞こえて、いろんな対立を生んでしまいますからね。でも「触れないことが一番いい」という態度は、いわば日本の悪癖ではないのか。半藤一利さんが言っていたことを思い出しますね。第二次世界大戦中、「ソ連が攻めて来たらどうするんだ」という時に「いや、そんなことになったら困る」ということで、それを考えないことにした。「困ることは考えない、考えないうちにそういうことはないだろうと先送りにした」と半藤さんは言っていました。それの現代版のような気がします。

保阪　主観的願望が客観的事実にすり替わっていく。そういう錯誤的な論理を今も日本全体が抱えていると思う。つまり、それに慣れ切ってしまった時には、私たちの生きている現実がかなり虚構化しているということですよね。その責任を、我々は死んでしまうからいいけれども、いつか誰かが負わなければいけなくなるわけです。

池上 「こんなことが起きたら困る、大変だ。だから考えないようにしよう」ということで言えば、東日本大震災の時もそうでしたね。あれくらいの大津波が起こることは、以前から一部の学者は指摘していた。でも、そんなことになったら大変だし、それに見合う堤防を作るのはすごく金がかかるから困る。「だから……」と、いつの間にか起きないことになっていたわけです。最近も、富士山がいずれ噴火すると地震学者や火山学者が指摘しています。けれども「噴火したら大変なことになるから、考えないほうがいいよね」と、あちこちで対策の議論が先送りされているんですね。

保阪 戦後77年、そういう先送りが続いてきました。これからどんな時代になるかは別にして、先送りの分だけ跳ね返りは大きくなります。だから、日頃から考えるべきことはきちんと考えておかなければいけない。そのためには、戦争にしろ大災害にしろ、議論を日常の中に持ち込むことが大事だと思います。ただ、それで尖閣諸島に関して踏み込んだ話をした途端、「じゃあ、尖閣で自衛隊が戦えっていうのか、お前は右翼か」とレッテルが貼られてしまう。これは相当まずい状況だと思います。

池上　結局、どの時代も私たちの国の政府はその都度その都度でしか事態に対応してこなかった、向き合ってこなかったということなんでしょうね。

「歴史の知恵」が世の中を変える！

保阪　今日、私たちが生きている時代はじつに多くの問題に取り囲まれています。その多くの問題を解決するには歴史の知恵が不可欠だと思います。

つまり、私たちはあらゆる事態に対していろいろ考えていて、それがたとえば法律というかたちになっているわけです。法律だけじゃなく、いろいろなものに私たちの知見は詰まっています。それが歴史の知恵なんですね。それを生かすことができないのはあまりにもったいないと感じます。

そして、知恵というのは永続性を持つことが大事だと思う。だから私たちは決して健忘症になってはいけません。面倒なことは考えない、面倒なことは忘れてしまえ、という態度は次の時代に多くの負担をかけてしまいます。そういう自覚を持つことが歴史の知恵をきちんと伝え続ける、あるいは受け継ぐ態度につながる。ひいては、それが社会を変える原動力にもつながると思いますね。

こんな光も見えていますよ

池上　最後に明るい現実の話もさせてください。日本には、革命運動のようなことにはならなかったけれども、着実に社会が変わってきているという事例が結構あります。よく若い学生たちに話すのは、ジェンダー平等、とりわけ女性の働き方に関する歴史なんですね。

私が就職活動をして社会に出たのは１９７３年でした。当時はまだリクルートなんてなかった。大学の就職課に求人票が貼ってあって、それを見て「じゃあ、ここに応募しようかな」と、就職活動をしていました。その時には全く意識していなかったのですが、後年、同級生だった女性から「女子学生の求人はほとんどなくて、就職活動が全くできなかった」と聞かされて、そう言えばそうだったなと、改めて気づいたわけです。

当時、高校の進路指導では「女性が四年制の大学へ行くと就職できない」と言われていました。社会へ出て働こうと思っている女性は、ほとんど女子短大に行ったんですね。女子短大へ行けば、とりあえずお茶汲みとして企業に採用してもらえるからです。「四年制を出た高学歴女性は扱いにくい」と、どこの企業も求人を出さなかった。だから、私と同世代の女子学生は極めて優秀でも、四年制の大学を出ないと資格を取れない学校の先生とか、公務員しか就職の可能性がなかったわけです。

あるいは当時、たとえばフジテレビの女性アナウンサーは定年が25歳でした。短大卒の20歳で入って、最初に「25歳で退職します」という契約書にハンコを押す。だから女性アナウンサーは25歳を過ぎたら必ず辞める。それが当たり前でした。

日本テレビは25歳定年というルールはなかった。ただし、25歳を超えると女性が画面から消えるんですね。「25過ぎの女がテレビに出るなんてとんでもない」と言われていました。あの頃、「クリスマスケーキ」という言い方がありましたよね。24日までは飛ぶように売れるけれども25日になったらギリギリで、26日になったら全く売れない。それと同じで「女も24歳まで」と平然と言ってのける時代があったわけです。

だから、日本テレビの女性アナウンサーは25過ぎた途端に画面から外されました。それで当時、裁判に訴える日テレの女性アナウンサーが出てきた。それを支援したのが田原総一朗さんです。奥さんがいたにもかかわらず、その後、その女性と結婚するのですが(笑)。同じ時期に30歳定年制だった名古屋テレビの女性アナウンサーも訴えて、両方とも裁判に勝ちました。

その判決を受けて、フジテレビの25歳定年制がなくなるんですね。そして、フジテレビの女性アナウンサーが初めて定年で退職したのは2015年のこと。これはニュースにもなりました。今、女性アナウンサーは30歳になろうが40歳になろうが画面に出るのは当たり前です。

私の同級生の女性によると、当時の求人票にも時々「女子も可」というのがあったそうです。でも「ただし、容姿端麗のこと」と書かれていた。「だから私はダメだったのよ」というのが彼女の話の落ちなのですが、今そんな求人があったら全く笑えない。すごい時代ですよね。ただそれでも裁判で戦った女性たちがいたわけです。

不満を言うことで変化は起きた

池上　21年12月の日経新聞の「私の履歴書」に日本ユニセフ協会会長の赤松良子さんが、労働省の官僚時代のことを書いていました。彼女も女性で働けるのは公務員しかないということで労働省に入った。ところが労働省でも女性は全然相手にされていなかったんですね。赤松さんがひたすら文句を言い続けて、労働省としても仕方なしに女性の就職や雇用の改善に取り組むようになったわけです。

そして85年に男女雇用機会均等法ができます。ただし、最初は「努力義務」で、違反しても罰則なんてない。当時、「こんな生ぬるいものはダメだ」と反対する女性たちもいたそうです。でも、赤松さんとしては「まず、きちんと法律の中で努力義務を掲げるだけでも意味があるんじゃないか」ということで法律を作った。その後、少しずつ法律改正が行われて、明らかに女性の雇用は進化しています。つまり、社会は確実に変わってきているわけですね。

あるいは男性の育児休暇もそうです。92年から施行されている育児介護休業法は男女関係なく育休が取れることになっています。でも実際には、男性は全然取れなかった。取りたくてもみんな言い出せなかったわけです。それが2020年には約13%の男性が短期間ではあるものの育休を取るようになりました。そして22年4月からは、子どもができるとなったら会社の上司が部下に対して育児休暇を取るかどうか聞かなければいけない、という改正法が施行されています。罰則はないのですが、ただ、それに従わなければ会社名を公表するという仕組みになっています。少し前までは男性の育児休暇に対して「そんなもの誰が取るんだ」と、ほとんどの人が言っていました。でも、やはり時代が変わると少しずつ人々の考え方や行動が変わっていくんですね。

多くの人があまり意識しないけれども、世の中の人々が不満を言うことで、革命的には変わらないけれども、少しずつ変化は起きています。先輩たちは自分たちの力でいろんな矛盾を解消しようと、革命運動ではなく、裁判に訴えてきた。それを受けて行政機関も動いてきた。そうやって社会は変わってきているわけです。

たとえば、同性婚もそうですね。国会が動かないからいまだに法律で認められていないけれども、15年に渋谷区議会が「同性パートナーシップ条例」を成立させたのをはじめとして、それを認める動きが全国の議会で相当進んでいます。

そういうかたちで世の中は、じつは変わりつつあるし、私たちは世の中を必ず変えることができるのではないでしょうか。

おわりに——次の変化を生む胎動期

現代社会は、あらゆる意味で変革を余儀なくされていると言っていいのではないか。たとえばパソコンやインターネットの利用が広範囲に及び、日々の生活感覚や生活実感は極めて機械的、機能的に変化しているように思う。かつてはわからない漢字は、辞書を引きなさい、辞典で確認しなさい、と言われた。そういう手作業で辞書に慣れる生活が確立していった。

それが今はどうだろうか。ボタンを押すだけであらゆることがわかる。10のことを知りたいと思っても、すぐに20や30のことが目の前に提示される。本当に必要なことは何なのか、それをはっきりと整理しておかなければ情報洪水の波に溺れてしまう時代である。メディアリテラシーなどという固い言葉を用いなくても、メディアを使いこなす知恵と理性、さらには社会を見つめる冷静な眼が必要になると言えるであろう。

本書は、現代社会を生き抜くための知恵や姿勢を、練達のジャーナリストの池上彰氏と存分に語り合った書である。私は日々の世界の動きについて、さほど詳しいわけではない。しかも、こういう事象は歴史的にはどのような意味があるのだろう、と考える習性を持つ。そういう姿勢で池上氏と対話ができた。心中、満足のいく対話時間であった。

私の見るところ、現代は次の変化を生む胎動期だと思っているのだが、それは単に価値観が変わるだけでなく、日本社会が大きな変化を遂げていくという意味でもある。本文で触れたように、近現代史という語では、日本の近代史は明治元年から昭和20年8月までの77年間を指すと言える。そして現代史も昭和20年9月から、現在までの77年間を指している。図らずも近代史77年間、現代史が77年間となるわけだが、この同じ長さの時間帯を終えて次の時間に日本社会は移行していくように思う。それはどんな社会なのか。

あえて予想すれば、内にあっては戦争体験が語られざる社会になり、憲法なども戦争と絡めて論じられることがないような時代に入っていくであろう。言い方を変えれば、戦後の日本社会を支えた戦後民主主義史観が衣を変えていく時代に入ったということになるだろうか。外に目を向ければロシアのウクライナ侵略のように、軍事が前面に出てくる時代に変質してきたように見える。強者の論理が、より明確に表出してくるのではないか、と思う。

何やら天下大乱の兆候さえも感じられるのだ。

私は現代史の77年間を大切にと切望するのだが、そういう時代像は古いとならぬように歴史の教えを謙虚に学びたいと思う。

本書刊行までに、新書編集長の宇都宮健太朗氏、編集者の福場昭弘氏、そして対談を丁寧にまとめてくれた高橋和彦氏に尽力いただいた。記して謝意を表したい。

2022年5月　ロシアの軍事行動が止まるのを願って

保阪正康

池上　彰　いけがみ・あきら
1950年、長野県生まれ。73年にNHK入局。報道記者、キャスターとして活躍。2005年に独立し、文筆活動、テレビ出演のほか多くの大学で教鞭をとる。『池上彰のお金の学校』『いまこそ「社会主義」』（共著）『激動 日本左翼史』（共著）など著書多数。

保阪正康　ほさか・まさやす
1939年、北海道生まれ。ノンフィクション作家。「昭和史を語り継ぐ会」主宰。4千人に及ぶ肉声を記録。第52回菊池寛賞受賞。『昭和陸軍の研究』『田中角栄と安倍晋三』『陰謀の日本近現代史』『太平洋戦争への道1931－1941』（共著）など著書多数。

朝日新書
866
歴史《れきし》の予兆《よちょう》を読《よ》む

2022年6月30日第1刷発行

著　者　池上　彰
保阪正康

発行者　三宮博信
カバーデザイン　アンスガー・フォルマー　田嶋佳子
印刷所　凸版印刷株式会社
発行所　朝日新聞出版
〒104-8011　東京都中央区築地 5-3-2
電話　03-5541-8832（編集）
03-5540-7793（販売）

Published in Japan by Asahi Shimbun Publications Inc.
ISBN 978-4-02-295177-9
定価はカバーに表示してあります。